KILOMÈTRES
CONTEURS

Hubert Lauth

# KILOMÈTRES
# CONTEURS

ROBERT LAFFONT

© Éditions Robert Laffont, Paris, 2013
ISBN 978-2-221-13327-9

*À mon père
qui aimait tant l'aquarelle
et son Tarn natal.*

*L'ID, sœur jumelle de la DS,*
*fait son apparition en 1956.*
*Quelle belle idée que cette automobile !*

La nouvelle est arrivée, aussi vite qu'une feuille de platane balayée par le vent d'autan.

La nouvelle de la nouvelle voiture.

Elle avait un toit translucide, en plastique, qui ne manquerait pas de se casser, disait-on, si elle se retrouvait sur le toit. Elle avait des suspensions pneumatiques qui la soulevaient en souplesse avant de démarrer. Elle avait une sorte de gros bouton en accordéon de caoutchouc à la place de la pédale de frein. Elle avait une allure qui allait tout de l'avant vers l'arrière. Elle avait la modernité de son côté et les grincheux dans son rétroviseur. De couleur crème, garée le long de l'Esplanade du Mail, les enfants la mangeaient des yeux à la manière d'un cornet de glace un dimanche. Les adultes en faisaient le tour comme au Salon de l'auto mais sans monter à Paris. C'était l'ID. La première qu'on voyait en ville.

Elle avait des bruissements sensuels, des mouvements atténués, des intentions délicates entre le goudron et vous. Comptez cinq kilomètres pour être conquis, cinq kilomètres pour changer d'ère. L'ID fait son chemin.

Dès qu'on quitte la nationale, on entre sur le causse. La roche calcaire affleure de partout laissant juste un peu de sol à la terre rouge. Le chemin avance avec une belle aridité puis s'ouvre en deux, juste avant la maison, comme pour l'enlacer dans ses bras un peu maigres. Les chênes rabougris peinent à se nourrir. Au loin la montagne Noire barre le sud de son épaisseur sombre. Les routes s'y enfoncent, sinueuses et grimpantes comme le lierre vers la lumière. L'été est une invite à ses ruisseaux gouleyants où des écrevisses, gourmandes de fraîcheur, posent l'ancre sur de petits bancs de sable à l'ombre des fougères.

Le gravier crisse sous les pneus Michelin. L'ID est arrivée et se glisse sous la maison. Immobile, elle attendra au garage les courses du lendemain, le trajet vers la ville, le marché, la statue de Jaurès en face de la fontaine, l'effervescence de la place et du patois en action. Ici on parle confit, foie gras, boudin et melsat, fricandeau et bougnette. La vie a l'accent solide. La langue ficelle les mots comme les saucissons. Il faut se retrousser les manches du sens, des racines locales, des recoins de rocaille. L'accent pèse son poids. Il vient de loin, c'est-à-dire de longtemps, il puise sa substance dans les petits riens et rebondit sur tout. Des gestes avec la bouche et des mots dans les mains. Un accent qui mâche tout ce qu'il dit.

Ici, le foie gras, on le mange à la pointe du couteau, sur un cageot retourné, en plein marché, avec un peu de pain, comme du pâté de la boîte. C'est un casse-croûte, un en-cas consistant qui prend le raccourci et oublie les chichis. Il va à l'essentiel : le goût. On l'aime bien poivré.

Aux Dames de France il y a du monde. On se presse dans l'escalier mécanique, on joue à monter à l'étage en se donnant la contenance de celui qui se livre à des activités importantes. On finit toujours par acheter un égouttoir en plastique ou un paquet de lessive. L'immeuble est en pierre, imposant, au coin de la place et de la rue qui va à la bonne charcuterie. Il a un pignon avec un toit d'ardoise, des balcons et des grandes fenêtres. Il fait parisien, ou plutôt, à Paris ils ont les mêmes.

De là, la ville se déplie sans se presser. Des ruelles qui n'aiment pas aller droit, de vieilles maisons austères, des quais pas vraiment jolis mais heureux d'être là, quatre ponts qui enjambent la rivière, des façades qui se mirent dans son eau et en font quelques cartes postales. C'est une ville qui n'aime pas se montrer, industrieuse et discrète, un brin huguenote.

Après les Dames de France, quand on pousse un peu plus loin, il y a la grande pharmacie, la Maison de la Presse et en face les Stocks Américains. Ici se nichent le jean et le pantalon de gardian, les paires de baskets d'avant les baskets, l'odeur de la toile de coton brut et de cuir des ceintures, la chemise canadienne épaisse et confortable, les grosses chaussures pour sortir de la cabane en rondins et marcher dans la neige. Tout ça est empilé sur la longue table de bois sans fioriture. Du stock, rien que du stock. Des piles bien épaisses, piles de jeans, piles de chemises, piles de bleus de travail, piles de blousons. Pile-poil. On a envie d'y acheter la poêle à frire et le bacon, la cafetière en fer-blanc à poser sur le feu et la Winchester qui va avec. On sort ému par le voyage.

Puis on remonte la rue jusqu'au boulevard des Lices et l'ombre des platanes immenses. Les voitures y passent avec insouciance, l'ID avec majesté.

Là, en retrait de l'ancienne muraille de la ville, au premier étage, il y a de beaux appartements anciens, avec balcon et vue sur la circulation, sur les larges trottoirs et toute la flânerie qui s'y met. Derrière les grandes fenêtres, le parquet ciré ouvre des espaces fluides, des pièces sans meubles où des jeunes filles en chaussons font de la barre au son d'un piano qui a dû flirter, un jour, avec une guimbarde.

Après, plus loin, on file vers les grandes routes, plein ouest, plein nord ou mieux encore nord-est. Les collines sont opulentes et girondes, des mamelons en veux-tu en voilà dont les villages ou les bourgades sont les tétons triomphants avec vue sur la plaine. On y rencontre la vigne, la négrette, le duras, le mauzac et « le loin de l'œil ». Des vins de soif et des vins de grillades. Il reste encore un peu de muscadelle, quelques parcelles, celle qu'on prend à l'apéro, le soir, quand le gros de la chaleur se fatigue, que les grillons mettent le grand braquet. Fruitée, fraîche, belle avec des notes de coing et de vergers en fleurs.

Ces routes-là sont comme les routes blanches de Toscane où les cyprès épousent les courbes de niveau. L'ID est en escapade sur ses terres. Elle maîtrise l'art du faux rebond, de l'amorti, de la sinuosité souple. Elle visite, cherche le point de vue, le panneau adéquat, le prochain carrefour. Parfois elle se déroute. Changement de direction. Ces mots magiques qui fleurissent souvent à la toile des bistrots de quartier. L'ID cherche le bon coin, l'emplacement qui lui sied. Alors elle se pose, un peu comme sur un pouf, certains diraient qu'elle s'affaisse. Mauvais mot. C'est sa halte, une respiration, un soulagement. Elle décompresse, un acte de confort et de relâchement, la fin d'une liaison avec sa suspension. Elle est bien là où elle est.

Là, c'est le pays de cocagne, ce pays qui fit fortune si vite, au Moyen Âge, grâce à la culture du pastel, qu'il en laissa ce nom florissant et rapide comme un débordement d'ailier. Pays de cocagne, pays du bleu pastel, colorant naturel, maquillage des belles du temps des troubadours et boom économique intense qui donna naissance à ces grandes bâtisses de briques plates, à ces grosses fermes posées dans la campagne. Bleu léger et profond à la fois, qui inspira peut-être le bleu charrette, ce bleu délavé sur le bois, contrepoint élégant au cul des bœufs.

L'ID est là, à l'arrêt, en retrait de la route, portières ouvertes, en attente, comme la voiture de ceux qui s'installent pour la journée et attendent le passage du Tour. Le soleil vient se nicher sur la banquette arrière. La sieste s'y verrait bien, le temps d'un aller-retour dans l'assoupissement. En face les champs dévalent la colline dodue et remontent de l'autre côté avec le même élan. C'est l'heure où les tournesols alanguis finissent leur parcours contemplatif qui les mène d'est en ouest, d'un lent mouvement de tête.

Nouveau départ. L'ID démarre. Elle se hisse, prend de la hauteur, quelques centimètres suffisent, et rejoint l'asphalte granuleux avec lequel elle tisse depuis peu une intimité kilométrique. Première, deuxième, troisième. Le changement de vitesse si fin, si féminin, chuinte dans le mouvement. Les platanes défilent et séquencent la vision de ce paysage de courbes et de vallons. On rentre. Sous la maison elle se glisse. Au garage.

L'usine est à la sortie de la ville, tout près de la rivière. On la reconnaît de loin avec sa cheminée et ses grands bâtiments en voûte de béton armé d'avant les années trente. Ici on fabrique de la bière. Une brasserie. Du matin au soir, c'est le paradis de l'embouteillage. Si l'ID savait ça !

Le dimanche, tout s'arrête. Adieu cliquetis, tintamarre et roulements. Silence radio. C'est immensément calme. Hangars et quais de chargement désertés, machines inertes, alignements de caisses immobiles. Roulez jeunesse ! La séance dominicale consiste à faire tout le circuit d'embouteillage sur le tapis à rouleaux, accroupi dans les caisses en bois, les bras bien serrés sur les genoux, dans la position aérodynamique du fœtus propulsé. Au bout du circuit et de la dernière ligne droite, la caisse, poussée par la main paternelle, atteint sa vitesse de pointe. Les rouleaux accélèrent en chantant leur partition de crécelle, le pilote relève la tête, et là, il aperçoit devant lui le portillon métallique, immobile et menaçant, qui ferme le circuit. Il pousse deux ou trois cris stridents, comme dans les trains fantômes, et fonce vers l'impact avec l'effroi du futur accidenté qui aura des choses à raconter à la récré. À la dernière seconde, le portillon à glissière s'ouvre par le haut et la caisse sort sur le quai de chargement. Ouf !

C'est de là que les camions embarquent la bière vers des comptoirs rafraîchissants, grands cafés et buvettes, événements majeurs : courses cyclistes, défilés historiques, réunions champêtres du moto club, et bien sûr le match du dimanche.

L'ID attend dehors, bien loin d'imaginer cette longue circulation intérieure, cette matinée initiatique à la mécanique des chaînes et au processus de l'embouteillage, où elle n'est pas conviée. Réservé aux enfants, quatre ou cinq ans maximum, question de gabarit pour entrer dans la caisse.

Retour vers la ville. La brasserie s'éloigne dans l'arrondi de la lunette arrière. Au bout du chemin, sur la grande route, les bras du passage à niveau se baissent lentement pour saluer d'un geste ample la micheline qui sort tout juste de la gare et s'en va vers des contrées lointaines, des gorges périlleuses habitées de torrents limpides aimés des truites, elle s'en va vers les si beaux vergers de cerisiers au-delà de l'Espinouse.

L'avenue s'avance jusqu'au rond-point entre des arbres riquiqui à qui les services municipaux ont dû demander de ne pas pousser trop vite, de peur de faire de l'ombre à quelqu'un.

D'une impulsion oblique, on se glisse dans l'avenue suivante qui traverse le pont. Les blocs jaunes des boîtes aux lettres, le grand bâtiment de la poste, le monument aux morts, le jardin public et les haies de buis taillées à la française, précèdent la rivière et sa chaussée qui en retient l'eau et la lisse, juste avant qu'elle ne disparaisse sous le pont.

À l'angle du grand immeuble anguleux et neuf, l'avenue se referme, redescend, esquisse un petit creux, une inflexion subtile pour suspension attentive. C'est le trajet familier, habituel, le trajet de tous les jours

dont chaque mouvement, chaque oscillation déclenche sa résonance au cœur du
cortex automobile.

Après la rue étroite et si bruyante, où le
flot des voitures étouffe le passant réfugié
sur des trottoirs trop petits, on arrive à la
grande place triangulaire dont la pointe est
le lieu de tout. Le cinéma, la baraque à
frites et churros, le tabac-journaux grand
comme un tapis de bain, et le café, avec
quelques tables sous les platanes qui font le
lien entre tout ça.

La place sert de parking excepté les jours
de marché. On y gare sa voiture avec la
douce satisfaction de celui qui entre dans
le hall d'un grand hôtel et cherche le meilleur
endroit pour s'asseoir. L'ID apprécie. Loin
des autres, avec suffisamment de places
vides autour d'elle, elle appréhende toute
la sérénité de ce parking idéalement confi-
guré où on peut choisir la taille de l'ombre
et l'arbre le mieux placé pour les heures de
soleil à venir.

À la pointe de la place commence la rue
qui descend. Il y a la vitrine du photo-
graphe, l'entrée de la piscine municipale,

toute de brique et de ferronnerie pour impressionner Léo Lagrange, puis la pharmacie qui fait l'angle, là où la rue décide d'obliquer de quelques degrés sur la gauche, puis la quincaillerie avec ses canifs de qualité supérieure et ses plats en inox astiqués, la pâtisserie où il y a un si bon pain de ménage. Tout s'enchaîne, de reflets de vitrine en portes à clochette, de paniers en cabas, petits et grands achats, rue pimpante où il est important de passer, surtout au volant de l'ID.

En bas, arrivée à l'endroit le plus creux, la rue se hausse d'un coup pour se mettre au niveau du pont et franchir la rivière entre les bacs à fleurs et les parapets de fonte. Après c'est le quai, les arcades, la fontaine, la fameuse statue, la place et retour au marché.

Ainsi les villes ont un tour, une manière de promenade, d'encerclement progressif, de prise en compte du périmètre majeur. Le tour de ville est une occupation, un loisir motorisé qui affiche le degré d'oisiveté, d'ennui ou de conscience de soi, surtout le dimanche après-midi.

L'autre avenue file tout droit, en montant, pour indiquer qu'elle mène vite à la montagne la plus proche. De là part un chemin qui longe la rivière pour ne pas la perdre de vue. Il va jusqu'au village et à la cascade. C'est un chemin pour les vieux, les gamins à vélo, les amoureux qui se tiennent par la main et pour qui le bruit de l'eau emplit les longs silences de leur langage des yeux. La route, elle, passe de l'autre côté de la rivière. Chacun chez soi, l'automobile rive droite, la promenade rive gauche. Tout se rejoint sur le pont du village dont le nom sonne comme celui de ces grosses cerises d'un noir profond dont les amateurs disent : « Rien ne vaut les burlats. »

Puis le chemin quitte la rivière et grimpe comme un fou pour aller là-haut, là où les gros rochers de granit surgissent au milieu des prés, comme des champignons placides à l'air cosmique qui auraient pris ce coin de montagne à vache pour un champ de lune. Ils se disséminent, s'amusent, se roulent en rivières sans eau et jouent à chat perché dès qu'ils aperçoivent le moindre monticule. Ils prennent des formes étranges et des poses bizarres. Ici tout leur réussit. C'est le pays du caillou, énorme, rond, impressionnant. Une forme d'obésité granitique.

On commence à traverser des forêts de hêtres puis de sapins aussi sombres qu'un conte pour enfants où le gamin finit dévoré par les loups. Dans les hameaux, les maisons portent de l'ardoise sur les toits et sur le mur exposé à la pluie. Il y a toujours une maigre volute de fumée, même l'été, qui s'échine à sortir de la cheminée pour mettre le nez dehors. Ce sont les signes de l'altitude et d'intérieurs bas de plafond où les jambons sont suspendus au-dessus de la tête, vaguement éclairés par une ampoule qui permet tout juste de déchiffrer la date du prochain marché aux bestiaux et de lire le courrier de l'association On n'est plus très nombreux par ici. De temps à autre, le son de cuivre concassé d'une cloche de vache traverse un vallon ou un morceau de lac. Les petites routes s'aventurent vers des fermes reculées, enfouies au fond d'un recoin de prairie, vers des avant-postes de terres incertaines où la troupe redoutait d'aller débusquer le camisard qui faisait l'obtus à la révocation de l'édit de Nantes.

Ce ne sont pas les routes qui manquent pour redescendre. On s'y perd vite dans les options et les frissons : par Les Faillades, par le barrage, par Peyrarque. C'est tellement rassurant de se dire qu'on va sortir de là avant la nuit et retrouver la plaine, même si l'ID est le refuge douillet dont peut rêver l'égaré de passage, l'imprudent parti sans le patois des départementales et chemins vicinaux. De loin les lumières de la ville sont un soulagement.

L'hiver parfois on pense à ceux de là-haut. Le seul moment où on est assez fou pour y monter c'est le jour de Noël, côté montagne Noire, pour le déjeuner, histoire de dire qu'on a vu la neige, qu'elle nous a vus passer, qu'on a traversé des contrées hostiles mais délicieusement exotiques, et que l'ID, dans son infinie bonté, a un chauffage du feu de Dieu qui distille les intempéries en gourmandises.

Au bout d'un chemin long comme une couleuvre qui sort d'un tas, après des forêts de sapins où la neige reste sur le dessus de peur de s'aventurer en dessous, un chemin où même l'été on ne fait pas le malin, on arrive enfin à l'auberge qui se niche au détour d'un grand virage en S et d'une clairière.

Aller déjeuner dans cet endroit improbable et perdu, le jour de Noël, c'est comme un contre-pied, le contrepoint d'une fugue impromptue.

Après une petite pièce sinistre où on a envie de sortir sa lampe de poche, puis une deuxième d'où on aperçoit la cuisine, vient la salle à manger qui donne sur le ruisseau qu'on entend gazouiller en contrebas. C'est une belle véranda en surplomb, inattendue, cosy et habillée de bois, si lumineuse malgré la grisaille et les flocons ébouriffés, que l'on se sent soudain tout près du soleil. Belle élévation en ce jour de nativité. Ni âne, ni bœuf mais du sanglier en daube et du lièvre en civet. Les chasseurs y ont leurs habitudes et s'y requinquent d'un déjeuner en harmonie avec ce qui leur fatigue les bottes. Devant l'auberge, de l'autre côté de la minuscule route, il y a une source et sa stalactite hivernale, un abreuvoir et une tonnelle pour ceux qui l'été cherchent la fraîcheur et font le chemin jusque-là.

Le ruisseau qui nous passe entre les pattes, sous la salle à manger, file vers l'Alzeau, un peu plus bas, où il en rejoint beaucoup d'autres. L'Alzeau, c'est le rendez-vous des ruisseaux de ce coin de montagne. De là, dans un canal de pierre de la largeur d'une charrette, ponctué de quelques petits ponts à piétons, ils filent tous ensemble vers le lac qui alimente ensuite le grand canal de leurs eaux fraîches et pimpantes. Une idée de Pierre Paul de Riquet, bâtisseur du canal du Midi. Il fit construire sa maison en haut de la prairie, devant le lac. Mort trop tôt, il n'était plus là pour inaugurer son canal.

La place est déserte. Le camion de poubelles qui approche, la grille du jardin public qui ouvre à 6 heures, la chaudière qui a son heure pour le plein d'anthracite, la cuisine où il fait plus chaud, l'ID qui est garée juste devant, seule voiture sur la place, ses premières voisines n'arrivent que vers 7 heures. C'est ainsi. Matin d'hiver.

Quand il neige pour de vrai, on monte jusqu'à Saint-Hyppolite. Petite route et grands virages. On monte en tirant la luge attachée au pare-chocs. Attraction et traction avant. L'ID aime la promenade et s'amuse de son adhérence dans la côte enneigée. Mais que fait la maréchaussée !

Cette grosse colline est l'endroit où ceux qui ont des sous font construire. Il y a un point de vue sur la ville, une tranquillité sourde, une distance un peu hautaine avec une contagion de piscines en été. La neige adoucit les mœurs et lisse les architectures.

Au retour, on bifurque. Le mot bifurquer est une aventure. Il évite la redite, efface le vieux tournant et met du neuf dans le revêtement. En bas, il est facile de rejoindre le causse, il est tout près, et un jour de neige comme celui-là, il a un air froid de toundra, de grand congélateur stalinien, celui qui glace les âmes et fige la souffrance des corps.

Au bout du chemin, après un arrêt sans freinage, où la mollesse de la neige opère elle-même le ralentissement nécessaire, on a cette vision étrange des endroits pris dans une autre saison qui ont un ailleurs sans bouger, qui font un voyage en restant là. Leur parenthèse climatique initie un dépaysement sur place. En découvrant ainsi, pour la première fois, la maison de l'été, dans son ailleurs intime d'un jour de neige, on a la même sensation qu'avec une personne que l'on connaît depuis des années, mais que l'on aperçoit, pour la première fois, en pyjama dans un couloir.

Les chênes sont maigres et sombres, le silence pèse, la maison est fermée. Rien avant le mois de juin.

L'été, cette impression d'étendue hostile disparaît dans la lumière vive. Le causse est un joli cagnard, en pente douce vers le sud, avec un périmètre militaire. L'armée adore jeter son dévolu sur les causses. C'est spacieux, pas cher du tout, il n'y a personne à part deux ou trois clampins qui vont aux champignons. On peut jouer aux cow-boys et aux Indiens toute la semaine sans être dérangé. La caillasse c'est parfait pour crapahuter. Un causse c'est canon. Sauvons le Larzac.

Ce causse-là s'appelle simplement « le causse ». Il s'étire et s'étend devant la maison comme la pâte à tarte sous le rouleau à pâtisserie. Il accueille des lâchers de parachutistes qui viennent fleurir son aridité. On entend les Nord Atlas arriver de loin, ce qui laisse le temps de monter au premier étage ou, mieux encore, de s'avancer dans le chemin pour avoir toute la vue. Les parachutistes sautent sagement par la porte latérale, effectuent un mouvement pendulaire jusqu'à trouver la verticale, principe du fil à plomb, et descendent en chapelets couleur sable avec une lenteur apaisante et un silence d'air. Il y en a toujours un ou deux qu'un peu de vent éloigne des autres et rapproche de nous. Comme ça on peut observer la façon qu'ils ont de rassembler à grands gestes la toile si fine et rebelle, comme on le fait avec des draps trop grands. Puis loin, là-bas, ils se fondent dans l'ombre des baraquements et disparaissent.

Le causse retourne à ses herbes sèches et ses pieds de bruyère.

On retourne vers la maison, on monte les marches, on arrive sur la terrasse. Le rebord est bas, large et confortable pour s'asseoir, pour se poser après les courses, prendre le café au soleil, ou regarder simplement ce qui se passe dans la cuisine dont la porte reste toujours ouverte. En dessous se trouve le garage où se trouve l'ID.

Les frites à la graisse d'oie, le rôti avec des petits oignons caramélisés, les sorbets de fruits écrasés pleins de cristaux qui craquent comme les glaçons, et la mousse au chocolat à la densité suave sont les invités de passage et reviennent souvent. La cuisine est ici l'entrée de tout, le sas gourmand pour l'accès au monde mystérieux qui s'ensuit, aux escaliers profonds, aux couloirs fantaisistes, aux chambres loin de tout, à cette arborescence circulatoire où le recoin est chez lui et le dédale à pied d'œuvre.

Derrière une salle de bains très basse de plafond il y a une terrasse dont les rebords

épousent la pente du toit, une de ces terrasses au milieu des tuiles, qu'on ne peut
voir d'en bas mais qui, de là-haut, sait
autant dissimuler que donner à regarder.
En bas justement file un sentier, on le voit,
il file, s'enfonce entre les chênes, descend
et mène on ne sait où, traverse on ne sait
quoi, il avance ainsi, propageant de l'inconnu devant lui. Il mène sûrement loin,
bien au-delà du vallon, vers l'ouest, peut-
être même bien plus loin, à des distances
dont seule l'ID a la clé.

Le soir, sur la terrasse, les étoiles attendent
qu'on s'installe pour les regarder. Elles se
font une belle luminescence pour parer à
la concurrence animée des satellites qui
depuis quelque temps se sont mis en ciel,
comme elles. Ils ne sont que de passage,
ils vont, ils viennent, à intervalles réguliers,
comme les aiguilles brouillonnes d'une
grosse horloge qui aurait choisi la Terre
pour installer son coucou et y centrer son
mécanisme.

La grande route, en contrebas, forcément attire l'automobile. Elle se nourrit

de cette aspiration toujours prompte à réunir le principe de la roue et du mélange air essence qui explose, comprimé à l'extrême, pour avoir ensuite le courage de repousser son piston oppresseur. Pour l'ID, en son garage, se savoir si près de cette route, à portée d'une vitesse à peine enclenchée, fabrique une impatience mêlée d'hydrocarbure, une pulsion de départ, une destination refoulée. Cette route, dès qu'on pousse un peu à travers le contrefort qui donne naissance au causse, se faufile vers l'est, le trajet de la mer.

Au début tout est vert, les arbres sont charnus, les branches lourdes, les feuilles grasses, c'est le cul de la montagne, là où la pluie trouve toujours le temps de se poser pour pisser alors que partout ailleurs on l'attend et qu'elle ne vient pas.

Puis la route s'enfonce entre la roche, entre les parapets de pierres sèches, s'encaisse dans le défilé de schiste et de buissons. Et soudain, elle émerge, respire et s'offre une longue ligne droite. En quelques centaines de mètres, sur un haut plateau, tout bascule climatiquement. Autre versant, autre végétation, autres mœurs de la nature. Le chêne vert sort du bois, la feuille luit sous le soleil, l'herbe est sèche, le buisson se rebiffe, tout ce qui est méditerranéen s'installe. À la suite d'un bosquet de pins parasols, étendards ombragés en retrait du virage, la vigne surgit et s'étend. L'ID fête le défilement du sud sur l'écran de son pare-brise. Elle s'offre des enchaînements de courbes qui regorgent de ressources tactiles sous ses pneumatiques. Le train avant s'insère avec plaisir dans la sinuosité ample, la carburation respire le bonheur comme on hume l'air frais du matin, le moteur invente une musicalité réjouie et sereine comme le regard posé sur les vagues de vignes qui maintenant déferlent en douceur d'un vallon à l'autre. Heureux voyage. Possession du paysage. Bientôt la Méditerranée, « Ce toit tranquille où marchent des colombes, / Entre les pins palpite, entre les tombes...[1] ».

---

1. « Le cimetière marin », Paul Valéry.

Les villages se succèdent et, chaque fois, le bruissement aérodynamique de l'ID envahit la rue principale et crée le courant d'air indispensable aux mémés qui ont sorti le pliant devant leur porte cochère. Elles prennent le frais en regardant passer les voitures, et les plaques minéralogiques venues d'ailleurs, qu'elles accompagnent de commentaires d'habituées et d'un joli contentement.

Passé le dernier platane, à la sortie du village, la dernière maison avec son bout de jardin et ses arbres qui dépassent au-dessus des murs, la route reprend le dessus et se glisse à nouveau entre les vignes, comme aspirée par l'air de mer et l'iode qui vient s'échouer sur les feuilles et les ceps pour donner des vins épicés et aquatiques, avec parfois des notes de coquillages et de garrigue. La route et l'ID, chacune à sa manière, avancent les arguments de leur cause commune, la mer. Elles vont, elles accélèrent, ralentissent et rapprochent, précèdent et dévoilent, le virage, le talus, le bosquet, le chemin poussiéreux, la ferme sur la colline, l'enclos pour le taureau, la barrière de cyprès, la cave coopérative et le prochain virage, bientôt le prochain pont. Le pont sur le canal, le canal du Midi, un lien jusqu'à l'Alzeau, là-haut, l'Alzeau et ses ruisseaux, et celui de l'auberge qui chante juste en dessous de la salle à manger, là-haut près de l'Alzeau, un lien de l'eau.

La route et l'ID passent sur le pont et croisent le canal. En contrebas, les troncs massifs des platanes montent comme les colonnes antiques d'un temple dédié aux parcours ombragés. Et la route et l'ID, d'une seule voie, continuent vers la mer, traversent une étendue plate, lisse comme une lande, longue comme une piste, où le sable est venu, où la mer était là, il y a si longtemps.

Enfin la mer arrive, et l'étang son miroir. Un long bras de sable l'accompagne jusqu'à l'entrée du port, jusqu'aux quais où l'anchois et la sèche inventent des pistous et des rouilles épicées. En arrière, au bout de la rocaille, le cimetière perché veille sur ses hôtes qui s'attardent et s'occupent. Là

où Valéry accroche ses mots à la vue :
« Maint diamant d'imperceptible écume »,
« La mer, la mer, toujours recommencée /
Ô récompense après une pensée / Qu'un
long regard sur le calme des dieux[1] ! » Là
où Brassens, en cachette, continue à passer
la main sur son épicurienne moustache
d'un geste doux comme un agneau pascal.
Là où Soulages, en contrebas, près du
rivage, a travaillé ses noirs profonds et lumi-
neux.

Plus loin, les ferries amarrés qui viennent
de la lointaine côte d'en face, nourris de
voitures et de bagages farfelus, dressent
le long du quai des murs incurvés qui
barrent l'horizon.

À l'arrêt devant le Grand Hôtel, l'ID
regarde droit devant, jusqu'à perte de vue
de pare-brise, au-delà du grand canal. L'ID
aime les hôtels, ils sont le signe du voyage,
des trajets qui vont loin, d'un travail de
longue durée où les haltes sont amplement
méritées, et beaucoup plus exotiques que
les rues de la ville où elle a ses habitudes

---

1. « Le cimetière marin », Paul Valéry.

de créneaux et ses repères de stationnement. Par-dessus tout, elle aime la présence de l'eau, quai de ports ou de canaux,
longues plages de sable, criques reculées
aux accès pleins de cailloux acérés, rivières
aux berges molles, peu importe, l'ID aime
être à côté de l'eau, sans forcément y
mettre le pneu, l'eau comme un roulement
imaginaire, un point de départ jamais
effectué, un élan impossible, un rêve de
coque comme carrosserie. L'eau occupe
l'ID et lui tient compagnie.

Le matin met fin à la halte et l'ID à sa
contemplation. La rue, qui devient route,
traverse cette ville où les hydrocarbures
ont installé toutes leurs tuyauteries, leurs
coudes et robinets compliqués. On en
oublierait presque qu'elle donne son nom
à un muscat, profond, suave et concentré,
dont on dit qu'Hercule en a tordu les bou-
teilles, ce qui leur a donné une forme tor-
sadée typiquement herculéenne !
Puis on longe l'étang, plat, scintillant. Au
loin affleurent les parcs à huîtres et dans leur
sillage immobile, imperceptible, l'horizon

désordonné et coloré des cabanons. L'ID s'y précipite, attirance de l'eau, et s'installe devant les casiers comme si elle s'apprêtait à délaisser l'essence pour faire le plein d'iode et de sel. Les portières s'ouvrent, bras accueillant le lieu, ailerons surgissant de la taule qui donnent à l'automobile des allures soudaines de petit avion venant de se poser et libérant ses passagers, lesquels déplient leurs abattis et vont sous les tonnelles de guingois où les attendent, posées sur des plateaux tout cabossés et inusables, les huîtres ruisselantes.

La coquille dans une main et le citron dans l'autre, on mange en regardant l'eau. Vaguelettes, scintillements, dériveurs de passage, clapotis énergiques, petits sons aquatiques. Parfois quelques roseaux égarés s'agitent pour vous détourner le regard de la fixité qu'impose l'horizon. Les pensées vont au largue, de risée en risée, en ricochets rêveurs sur cette ligne de flottaison toute de vert vêtue. Ici les coquilles vides empierrent le sol sableux et font des chemins blanc mat et accrocheurs pour les jours où les orages furieux descendent des

Cévennes et inondent les routes. Heureusement l'ID sait se hausser, être au-dessus de l'eau, avec l'élégance de l'échassier parcourant la Camargue toute proche.

L'ID est d'avant les autoroutes, campagnarde. Son kilomètre étalon est un beau morceau de nationale, avec bosses, passage à niveau et bas-côtés tumultueux. Le dos-d'âne y est une ponctuation souple, le tracteur avec remorque un trait d'union, le képi émergeant des platanes un accent tonique. Quand l'aiguille de la jauge, d'un soubresaut, indique qu'il faut glisser dans ce parcours une pompe à essence, elle se fait attendre juste ce qu'il faut, juste le temps de confectionner cette petite angoisse de la panne qui délivre si bien de la torpeur automobile. La station-service apparaît au « détour du chemin », une manière d'apparition douce et attendue, un élément de décor qui entre dans le champ, qui tient de la photo et de l'image pieuse. À l'entrée du village, au carrefour important, dans une ligne droite qui n'en finit pas, elle a ses emplacements. La station-service occupe une petite maison riquiqui qui s'inspire de la minuscule gare telle qu'en bâtissaient les chemins de fer dans leur quête de la moindre bourgade à forte députation. Ou au contraire elle fait dans la modernité et le béton armé d'un joli coup de crayon. Elle cultive l'arrondi du fronton, le bow-window, la tourelle largement vitrée inspirée par la cabine de téléphérique ou la petite aérogare de tourisme. La station-service tisse son appartenance au grand monde des passagers et de la circulation tous azimuts. Elle est là quand il faut. Son blanc éclatant, barré de couleurs vives, rassure. La station-service est la version statique de la cavalerie, le point d'eau qui vient au secours des chevaux-vapeur.

L'ID laisse dans son sillage l'odeur d'essence d'un plein qui chatouille le capuchon. La route, comme les poupées russes, change plusieurs fois de taille, et devient un filet de goudron serpentant dans le sable. La lumière est blanche, à l'extrême, un éblouissement posé sur le sol. Le fleuve se tient là, à l'embarcadère.

Lourd, d'un vert profond, une mouvance molle, une lenteur énorme, comme un dos d'éléphant. Le fleuve attend le bac. Il attend cette traversée, cette douce incision dans l'eau, qui, d'une rive à l'autre, va lentement lui gratter le dos.

Aussi brève soit-elle, la traversée d'un fleuve est bien plus qu'une parenthèse aquatique. Les berges touffues sont des frontières vers la jungle, vers des vallées perdues, des pays inconnus. Le bac ouvre de son sillage un voyage plus grand qui mène jusqu'au Mékong, à l'Amazone, au Potomac et tisse des cousinages avec la pirogue, la jonque et le kayak. Le fleuve charrie un imaginaire aussi puissant que lui.

Sur le bac les voitures ont pris place. En colonne par trois, bien rangées, bien en ligne. Les passagers prennent l'air. Ils s'installent au bastingage comme au comptoir du café-tabac à l'heure de l'apéro. Une manière de s'accouder ou de poser les mains sur le rebord, avec la confortable assurance de l'habitué qui sait s'y prendre avec l'endroit. L'ID est à la proue, pour la vue sur le fleuve, l'onde qui se sépare, une mécanique des fluides bien loin de la roue et du pneumatique accroché à l'asphalte. Mouvement lent, opulent, majestueux. Même si sa suspension agit avec la souplesse du fluide, l'ID sait qu'elle n'est pas de ce monde-là. L'expérience est intense, le dépaysement total. Les routes de l'eau émergent soudain dans une cartographie nouvelle à déplier sur le capot. Ruisseaux et rivières, fleuves, deltas et fjords, mers et océans, des milliers de kilomètres à parcourir autrement. Changement de surface. Apprivoiser le fluide, moduler la vitesse, laisser un peu d'écume derrière soi et non de la poussière, s'inscrire dans l'eau plus que dans l'air. Prendre le large.

Le bac a traversé, accosté, déchargé. L'autre rive dit tout autre chose. Les routes se séparent, se croisent et s'entrecroisent, disparaissent et reviennent comme des mirages entre les étangs, des flottements entre les roseaux, des laves de goudron aux portes de la mer. La Camargue s'étend et vibrionne, un désert d'eau sous le feu de midi.

Le pare-brise boit la lumière comme un buvard à photons. La couleur crème de l'ID n'est plus qu'un jeu de cache-cache chromatique. L'heure de l'eau fraîche et de la gargoulette a sonné. L'automobile bouillante va se glisser sous l'ombre précieuse d'un mûrier de passage. Les larges feuilles effleurent le toit en signe de bienvenue. Repos.

Plus loin après le grand bras du fleuve, après la garrigue, après la route aux lapins et la descente abrupte, il y a le village où la rue principale est si étroite qu'il est impossible d'ouvrir les volets quand passe une voiture. On dirait la traversée d'une crèche en automobile où Lou Ravi resterait derrière les persiennes et la petite église en attente de ses clients dominicaux. C'est à partir de là, du centre du village, que l'on peut considérer « être arrivé ». Le kilomètre qui suit, le dernier, tout près d'être avalé, est le nectar du parcours, la gorgée de lait concentré sucré où l'impatience aurait remplacé le sucre.

Les cyprès sont là, à l'entrée du chemin, puis le gros lilas sur la gauche, puis la barrière de bois et le virage étroit, et l'ID, d'être arrivée, se pose et décompresse. L'air du voyage et de sa suspension retient son souffle et disparaît.

Sous les marronniers, sous le cèdre ou le nez face à la barrière, elle stationne. Parfois le matin elle côtoie la camionnette, toute de tôle grise ondulée, cousine agricole vouée au dur labeur, si chargée de cageots de tomates et d'abricots que tout l'arrière renonce à se tenir. Cette fréquentation côte à côte, à l'arrêt sous les arbres, entre celle des villes et celle des champs, celle qui va au grand marché de gros et celle qui revient avec le pain et parfois un gigot, dure le temps des vacances. Qui sait ce que l'automobile a de mots pour conter la vie, les routes, l'attente d'un bruit de portière qui s'ouvre, de passagers bruyants qui une fois sur deux ne disent pas où ils vont. Heureusement le coffre sait prévenir. Son contenu parle pour lui. Cabas, cagettes vides, valises, raquettes, serviettes de plage sont le doux langage d'une destination annoncée.

Quand la destination reste cachée cela s'appelle une escapade. La plus belle des escapades étant celle qui trouve son chemin en cours de route, après hésitations, bruissements de cartes dépliées, regards étonnés sur des panneaux haut perchés et petites marches arrière intempestives à l'orée des carrefours mal lunés. Guidée par l'inconnu, elle se cherche. Et même si au fond du coffre un panier à pique-nique donne une tonalité et un possible horaire d'arrivée, l'escapade improvise. Elle impose une conduite toute de retenue. Foncer ne sert à rien, si ce n'est à appuyer un peu plus fort sur l'incapacité à savoir de quoi sera fait le prochain kilomètre.

Minuit. Nuit d'été. Rouler tous feux éteints. L'ID se régale. Les Alpes dessinent un arrière-plan d'ombres massives à inscrire dans un décor de studio, le si joliment faux du décor de studio. Les Alpes dans le dos qui sont le haut du toboggan d'où la route n'a plus qu'à se laisser glisser sous le seul effet de la pente. Nuit de pleine lune. On y voit si bien. La route suit la rivière et l'accompagne, un voyage côte à côte, un parcours en parallèle. En contrebas, l'eau noire dans son lit capte le clair de lune et devient un Soulages qui descend vers le Rhône où il disparaîtra. Cent cinquante kilomètres en pente douce qui donnent cette impression de roue libre, d'être poussé par le vent même quand il n'y en a pas, d'avancer sans que jamais le moteur ne peine, ne puise dans ses réserves. L'ID se glisse dans la nuit, sans à-coups, presque furtive, un fantôme stylé fuyant sur la chaussée. Une pression de plume sur l'accélérateur suffit à relancer la mécanique souple. Foulées, rythme, respirations sont les mots de sa route. L'ID, progressivement, se glisse dans la peau et le plaisir du coureur de fond. Sans chrono, sans souffrance. Courir, pousser plus loin, enchaîner, continuer pour ne pas s'arrêter, quelques belles foulées, un aller-retour au village, sans se presser, juste pour s'entraîner, pour poster une lettre et prendre le journal. Ainsi va le marathonien, en courant bien sûr, en courant. Et cette nuit-là, l'ID suit cette voie d'un effort délié, zen, épicurienne, aspirée par le seul bienfait du roulement, et toute parcourue d'insouciance de la destination.

Là-haut, au bord de la falaise, on aperçoit les lumières du monastère. Le matin, on entend monter les chants grégoriens. Il suffit d'une fenêtre entrouverte et ils sortent, se propagent alentour. La garrigue reçoit la beauté du son et de ses rebonds en échos sur les cailloux. Un paysage monacal, une végétation de robe de bure à l'écoute du chant matinal des moines.

Plus loin c'est le plateau perdu, le pays de Giono. Brûlant l'été, glacial l'hiver. De la lavande rien que de la lavande. Le vent souffle et s'y parfume à ras de terre. Les pistes poussiéreuses s'enfoncent loin. Plateau perdu, plateau où on se perd. L'ID saurait-elle où elle va ? Là-bas, au bout, il y a un vallon et de chaque côté un hameau. Deux hameaux perdus, en vis-à-vis, abandonnés depuis la grande épidémie de choléra, celle du *Hussard sur le toit.* L'ID sait cet endroit. Cinq ou six maisons en arc de cercle, une place empierrée de galets, un puits bien au milieu et une minuscule chapelle, presque un jouet pour enfant. Maragonnelle sonne comme le chant d'un berger, comme le ruisseau qui file vers la Durance, comme le petit coup de vent juste avant le couchant. Endroit de nulle part, minuscule, imposant, en retrait.

Objet industriel incongru sur la place, l'ID est belle. Sa couleur crème s'estompe joliment dans la fine poussière qui lui colle à la peau de la carrosserie. Elle est dans la tonalité des vieux murs du hameau, du sol, des sentiers qui s'enfuient. Le décor lui réussit et l'impose comme une curiosité stylistique. Elle est la reine du stand, d'un stand de pleine nature, maquisard et sauvage pour concessionnaire provençal audacieux.

L'aube est encore loin quand l'ID revient et entre sur le chemin caillouteux. Elle frôle les haies qui commencent à la barrière de bois puis elle se glisse sous le cèdre, à l'écart, pour méditer sur ce parcours de nuit. Les passagers s'en vont, la quittent, entrent dans la maison, quelques bonsoirs résonnent dans la grande cage d'escalier. La grosse porte se referme, le silence se fait. Quelques instants plus tard, on entend les claquements secs du pot d'échappement qui commence à refroidir. L'ID se pose. Ce sont ses mots gourmands, son compte rendu de voyage. Une si belle escapade vers l'est.

Cette maison-là, entre les marronniers, a un bassin ovale avec des nénuphars et des poissons rouges. De temps en temps on ouvre le robinet du jet d'eau pour vérifier qu'il marche. Il a toujours marché. Il ne monte pas très haut mais c'est bien suffisant pour le gouleillement. Les poissons apprécient et tournent autour. C'est jour de fête et de bulles dans l'eau d'ordinaire si calme. De temps en temps un marron, venant de haut, tombe dans le bassin avec un *plouf* très bref, un son un peu cucul qui a l'air de se moquer du monde. Les poissons accourent à cet amusement. Le marron s'en va vers le fond, parfois accompagné d'un poisson qui cherche la conversation.

Après le bassin, un escalier de pierre descend vers la serre. Il y a une terrasse à l'abri du mistral, et la vue sur les champs, les cyprès, et le massif calcaire là-bas au loin. Le cèdre est sur la gauche, on passe juste à côté en allant du bassin vers la serre. L'ID est en dessous, et au-dessus d'elle toute une architecture de branches, faciles à attraper, se construit comme une échelle géante. Le cèdre, à sa manière, aide les gamins à grimper là-haut. D'un coin de pare-brise, l'ID observe les faiseurs de cabanes, les échafaudeurs de projets haut perchés. Bruyante compagnie dont elle se dit qu'il vaut mieux l'avoir parfois dans les arbres que sur la banquette arrière. Pourtant son sourire, propre à délier n'importe quel pare-chocs un peu noueux, en dit long sur sa bienveillance automobile. Un long voyage, une route de vacances, un trajet de week-end n'a de sens qu'avec une solide escorte intérieure dont les gloussements et les interventions sont un carburant qui ne faiblit pas. Parfois la route est longue, surtout pour ceux qui sont installés à l'arrière car une voiture est à l'inverse d'une photo de famille : les grands devant et les petits derrière. Alors surgit toujours la rituelle question, maintes fois répétée : « On est bientôt arrivé ? » L'ID écoute et avance, sans accélérer pour autant, imperméable aux suggestions. Elle sait qu'on ne précipite pas une destination.

Derrière la maison il y a la grange, les bottes de paille, du matériel agricole, une machine à décoiffer le foin et un camion fatigué avec des pneus à crampons, des réservoirs sur le toit, des pare-soleil impressionnants. Un camion équipé pour traverser le désert. La taule délavée raconte la brûlure du soleil, les pistes dans les dunes, le sable où on patine. Une aventure immobile, posée là sur quatre roues, depuis des années.

L'ID ne sait presque rien de cette présence-là, de ce croqueur de Sahara, de ce dépaysement tout proche, à deux pas de son stationnement sous les arbres. Peut-être une fois s'est-elle garée là-haut en passant par le chemin le long du pigeonnier, peut-être a-t-elle aperçu le camion abandonné ? Qui sait ? Peut-être est-il resté imprimé dans la transparence de son pare-brise comme l'hologramme d'un souvenir de vacances, l'indice d'un monde plus vaste ? Un camion fatigué, rouillé, si las de ne plus repartir, aux pneus dégonflés par l'oubli, serait-il cet aventurier que l'ID emmène dans ses rêves sous le cèdre ? Les jours de grand soleil, au zénith, dans les mirages de l'asphalte, passe-t-il comme un tapis volant au-dessus des nationales, accompagnant l'ID le temps d'une accélération ? Phantasme mécanique, gourmandise érotique, l'ID a ses secrets.

Il y a des matins, sur la petite route, où elle croise le tracteur qui part pour les vignes. Une carcasse nue, de gris et de rouge, sans toit, ni banquette ni coffre, avec des roues immenses, un bruit familier qui parcourt la campagne, fait ses allers-retours entre les ceps avec la petite charrue de printemps. Plus qu'une connaissance, un ami proche et sûr qui vient vous tirer d'affaire les jours de panne ou de fossé.

Dans son immobilité sous le cèdre, l'ID est ainsi parcourue de pensées vagabondes, de voyages intimes. Cette immobilité peut durer des jours, jusqu'au moment où la portière s'ouvre et se referme avec la brusquerie matinale du gros réveil de cuisine sur le dormeur. Contact, démarrage, marche arrière ! On y va.

Quelques allers-retours en ville, avec des conversations de courses, pâtisseries et menus du jour, quelques créneaux devant des vitrines aux chaussures chics et aux vendeuses en jupes serrées, quelques arrêts à la gare pour y cueillir le vacancier, et de temps en temps un trajet ou deux jusqu'à la poste du village ou à la petite épicerie. Telle est la vie de l'ID en ces périodes-là. Activité réduite, presque une nonchalance, et de temps en temps bien sûr une escapade ou une obligation.

La clé anglaise résonne sur le sol lisse du grand garage. L'ID a rendez-vous, visite de contrôle. La verrière diffuse une lumière doucereuse et voilée, prête à accueillir un visage de madone. Le bleu des salopettes circule sur fond gris. Des jambes assorties dépassent de dessous les voitures comme celles du campeur trop grand dépassant de la tente. Des mains imprègnent d'un noir épais de volumineux chiffons, clin d'œil inattendu du cambouis à Soulages.

L'ID est là-haut, sur le pont, comme si soudainement allégée des quelques litres d'huile noire qui ont lavé ses entrailles, elle s'était mise en élévation. De vidange à vie d'ange il n'y a parfois qu'un mètre ou deux, juste un peu de hauteur et de légèreté. Là-haut perchée, l'ID montre aujourd'hui ce que seul l'asphalte d'ordinaire visualise : le dessous de l'automobile. Un aspect mécanique, brut, enchevêtré de câbles et d'articulations, une face sombre qui ne vit que du défilement accéléré au ras des routes. Elle resterait bien là-haut, l'ID, sur le pont, loin du sol, loin de cette adhérence si contraignante à la surface des choses, libérée de la pesanteur. Les pneus en suspension, ne jamais redescendre. Elle prendrait bien le virage du coussin d'air.

Tout autour de l'ID il y a de la conversation, celle du garage, sa langue maternelle, celles des plaques minéralogiques et des accents qu'elles véhiculent. 11 34 13 raconte tout autre chose que 31 81 12, même s'il y a là mitoyenneté syntaxique. Et que dire de 76, 14, 50, un autre monde, une autre culture, des pommes dans les arbres, des couteaux dans le sable et de la pluie pour dix. Ainsi parcourue d'expressions territoriales et d'accents très divers, l'ID excelle à conter les chemins vicinaux, les épingles à cheveux et les panoramas marqués d'une aire de stationnement pour en faire apprécier le point de vue. Son langage imagé, son vagabondage des mots va puiser l'inspiration dans les immatriculations avec la précision d'un cartographe féru de parcours incongrus, d'anecdotes croustillantes et de passages à niveau.

59, 75, 88, 33, répétez après moi ! Mais qui sait où cela nous mène ? Reste que pour l'ID, l'épicentre du sens et de la connaissance c'est le 81. Un numéro semble-t-il anodin mais qui, pour elle, concentre l'essentiel. Son lieu génémystique et temporel aurait dit Dalí.

Après cette vidange graissage, qui a sur l'automobile l'effet du yoga sur l'être humain, l'ID savoure les ruelles, les terrasses de café, et surtout les fontaines dont elle fait agilement le tour, pour se glisser sous la bruine si fine née du jaillissement.

Après la sortie de la ville, après le pont du chemin de fer et la longue ligne droite qui descend vers la plaine, elle s'arrête devant la boulangerie qui est juste en contrebas. À l'idée du pain chaud posé sur la banquette, des quelques miettes qui restent là et vont se nicher entre le siège et le dossier, l'ID esquisse un infime écart sur l'asphalte. C'est là un frisson de contentement, sa manière d'accueillir les petits bonheurs nés des activités humaines, qu'elle garde précieusement en son sein, dans les coins et recoins de sa conduite intérieure. Les kilomètres qui suivent, la toute petite route jusqu'à la maison, les virages si étroits qu'ils ne laissent la place qu'à une seule automobile, déroulent les liens complexes et sinueux du quatre roues pour le bipède. Une fois elle a entendu dire : « La plus belle conquête de l'homme », à propos du cheval.

Et le cheval-vapeur alors ?

Le long stationnement sous le cèdre a repris. Quand il s'effectue en marche arrière, avec le pare-brise orienté au nord, il permet à l'ID d'avoir la vue sur la maison, ces grandes maisons mystérieuses, où elle n'entre pas et dont la vie intérieure lui échappe. L'entrée, la bibliothèque sur la gauche, la porte de la cave, là-bas au fond, la petite pièce du téléphone en dessous de l'escalier, avec ses piles d'annuaires, son ambiance feutrée, qui sait si bien donner de l'importance aux appels téléphoniques. On les attend comme on attend l'arrivée du facteur. Ils sont rares et précieux, et peuvent mobiliser quatre ou cinq personnes autour d'eux. La sonnerie du téléphone, comme le son du piano, la cloche annonçant le déjeuner, ou les histoires horribles sortant du tourne-disque, sont pour l'ID des résonances familières et son seul accès au monde du dedans.

Les jours de grand mistral on prend le café en contrebas, à l'abri, près de la serre. Les jours de grand beau temps, mais sans vent, le plateau est posé sur la table ronde, sous le marronnier, et on s'assied sur le rebord du bassin. Les transats disposés près de la plate-bande, avant l'escalier de la serre, sont dédiés aux conversations de l'après-midi. Parfois un jeu de cartes s'installe sur la table en rotin. Un peu plus loin, le puits attire ceux qui aiment verser son eau fraîche dans la grenadine.

Le long de la haie de cyprès, il y a des géraniums perchés dans leurs pots, qu'il faut arroser le soir, mais pas tous les soirs. Et en allant vers l'arrière de la maison, les marronniers alignés sont un parcours en slalom parfait pour ceux qui apprennent à faire du vélo. Voilà ce que voit l'ID pendant la journée, tout ce qui entre dans son champ de vision. Cette organisation, faussement monotone, tisse un faisceau de petits bonheurs successifs qui tirent parti de chaque emplacement selon l'heure, la hauteur du soleil, les ombres, le vent, le parfum des rosiers grimpants dans les arceaux et le bruissement des arbres. Et il y a, bien sûr, les habitants de ces habitudes, tous ceux que l'ID voit passer, et en particulier la vieille dame joyeuse et trotteuse avec son arrosoir. C'est elle qui prend grand soin des géraniums, c'est elle qui sait si bien choisir le gigot de Sisteron, c'est elle qui a acheté le tracteur rouge et gris, celui que l'ID croise, le matin, quand il part dans les vignes.

Parfois l'oncle qui aime le roquefort et le rouge tannique de la coopérative, s'invite à déjeuner. Il a une Simca, rouge tannique aussi, qu'il gare sous le cèdre. Ces jours-là l'ID peut faire le lien entre la sonnerie du téléphone entendue le matin et sa voisine de midi, venue de Lacoste, et garée juste à côté. Elle en sait ainsi un peu plus sur les faits et gestes de la maisonnée, et un peu plus sur le sens à donner à ce qui est hors de portée de son pare-brise.

Au train de midi, elle est arrivée. Elle s'était acheté un élégant bagage anthracite par gourmandise pour le voyage et comme prélude aux vacances. Le bagage anthracite roulait sur le quai, la suivant comme un joli labrador heureux de ce dépaysement. Elle et le bagage sont sortis de la gare, allant jusqu'au grand escalier qui plonge dans la ville, du port à Pointe rouge, du Panier à

Callelongue, de la Corniche jusqu'aux îles et au château d'If. Marseille, la grande ville, juste de l'autre côté du massif de l'Étoile, à portée de voiture. Marseille, une aventure à quelques kilomètres du grand cèdre, Marseille ancrée en nous, les vacanciers, comme l'hameçon de la palangrotte coincée dans le rocher. Les chemins vers Cassis, les falaises, les carrières d'où sont sorties ces belles dalles de pierre douce qui font le sol des ruelles et les bordures de quai, jusqu'à Menton, où le pied des touristes, pied d'appel vers le large, prend son élan pour monter à bord des bateaux-promenade.

Le ciel se cherche. La mer est lourde, presque épaisse, d'une profondeur sourde, d'une noirceur à faire surgir l'abîme. Incertain dimanche.

Elle porte une jupe en coton écru laissant à ses genoux l'espace d'un flirt avec le vent. Elle mène le train jusqu'à l'ID. La nouvelle cousine est arrivée. Longtemps elle resta les pieds nus sur le tableau de bord, longtemps la mer resta le spectacle de son silence.

Au retour on longe le quai de la Joliette, les entrepôts, les containers, ce charme industriel et mécanique des grands ports, les flèches des grues qui ferraillent avec le ciel, la rouille picturale des coques, les cordages si lourds dont les ferries aiment se délier, et ces chaînes qui restent à quai comme le poids du bagne s'éloignant des cargos évadés.

Après on traverse un grand morceau du pays d'Aix, jusqu'au village. De la terrasse, là-haut perchée, on aperçoit l'étang de Berre qui scintille selon l'heure. Loin, encore plus loin, c'est le massif de l'Estaque, barrière d'avant la mer, pour dire je vous la cache, elle est là, derrière moi, la mer, et moi-même j'y plonge, j'y plonge tout le temps, de ma rocaille blanche. Osez mes sentiers, franchissez-moi, passez le Rove et vous la verrez la mer, juste derrière moi. Je vous la cache, je vous la garde. Et sur la route qui descend, juste après le tournant, à l'arrière d'une voiture, un enfant dit : « La mer, je l'ai vue, c'est moi qui l'ai vue le premier ! », « La mer, la mer, toujours recommencée...[1] »

Sur la terrasse du village il y a la poste, minuscule, accueillante, avec son arbre sur le côté, et sa boîte aux lettres d'un bleu délavé qui veille sur les heures de levée paisibles. On y monte en vélo, pour quelques cartes postales, quelques timbres, on y monte pour la balade. Au croisement de la petite route, une maison est construite juste à l'angle, et tellement à l'angle que chaque fois qu'une voiture tourne on a l'impression qu'elle va emporter un morceau de mur. Et là, il y a un panneau : Apt 50 km. C'est si loin cinquante kilomètres. C'est cette frontière que l'enfance pose quelque part, bien au-delà des collines, dans l'imaginaire de la distance. Apt 50 km, c'est si loin. Inaccessible Apt aux lourds vélos des gamins promeneurs.

L'endroit près de la serre est un endroit abrité et intime. Plein sud et face aux champs, il est adossé à un muret de pierre

---

1. « Le cimetière marin », Paul Valéry.

surmonté de haies bien touffues. On ne le voit pas depuis la maison. On ne sait pas qui se tient là, en contrebas. L'endroit ouvre les yeux autant sur les champs que sur les activités qui se nourrissent de son intimité.

L'ID, inoccupée sous le cèdre, aime imaginer ce qui se passe là, dans ce recoin à l'abri des regards, et être le spectateur attentif de ce qu'elle ne voit pas. Elle est, pour cela, à l'affût du moindre indice sonore, du mot qui monte d'un cran dans la conversation, du silence soudain, du rire qui se tait, du frottement inattendu, de tous ces bruits dont le mot à mot raconte si bien les occupations des humains.

La lime glisse avec un bruit d'imperceptible râpe. Elle a pris les mains en main et décidé que les ongles, cet après-midi-là, méritaient mieux que leur sort habituel. Il y a là, dans le mouvement de la lime, et son attention aux ongles, toute sa sphère maternelle qui s'entrouvre, comme la petite porte en bois d'un verger en fleur que le vent de printemps aurait poussée de la main. Tant de soin, tant de douceur à être entre ses mains, tant d'envergure palpable dans la petite amplitude du mouvement de la lime, tant de place pour l'autre, au fur et à mesure que se redessine l'arrondi des ongles. Ainsi, côte à côte, dans les transats, à quelques pas du cèdre, le bruit d'imperceptible râpe tisse de l'entre-deux, comme un métier de canut sur la soie d'un avenir improbable. Ah, la nouvelle cousine !

La 113. Le chemin du retour. Un tiers de Bouches-du-Rhône, un tiers de Gard, un grand tiers d'Hérault et un morceau de Tarn pour l'assaisonnement. 13, 30, 34, 81, vous y êtes. De l'artichaut barigoule au cassoulet, une belle progression d'est en ouest. L'ID apprécie la 113. Piégeuse, parfois franchement étroite pour une nationale, avec des traversées de villages impossibles, des fêtes foraines, des étals de légumes en rase campagne, des travaux avec circulation alternée et des villes brouillonnes. La 113 du retour, c'est une peau de chagrin, un mouton retourné, une inversion terrible. Où est passé le bonheur de l'aller ? Les images joyeuses se noient dans les reflets de la lunette arrière. Un arrêt près de l'étang peut atténuer la mélancolie qui s'agrippe aux bornes kilométriques comme la gafarotte aux chaussettes. Un autre arrêt pour le plein, toujours au même endroit, juste après les Costières, une petite station, une pompe à l'ancienne, surmontée de deux cylindres en verre. On voit l'essence monter, monter, quand le pompiste pompe, pompe, jusqu'au bruyant déclic qui fait descendre l'essence dans un gargouillement de vases communicants.

Après on quitte la 113. Adieu plaines, plats et dépassements, on attaque le Poussarou. L'ID dans sa mémoire retrouve ses repères et les enchaînements qui lient intimement les virages entre eux. L'ancien relais de poste, l'auberge abandonnée, la carrière calcaire et sa poussière blanche, le vieux pont si étroit, et plus loin encore le grand mur qui longe la voie ferrée et annonce la fin des tournants.

Juste avant d'arriver, on laisse sur la gauche le chemin vers le causse. Puis la longue ligne droite de l'avenue se charge de la réconciliation avec les lieux de tous les jours. Avril, de sa lumière vive et de ses ombres froides, referme les vacances. Les marronniers, toujours premiers à être happés par les bourgeons, et les platanes, encore engoncés dans leur frilosité, font le lien avec l'autre paysage, celui qu'il a fallu quitter il y a quelques heures.

L'ID retrouve sa place, sur la place, devant le 27. Le puzzle des bagages quitte le coffre pour des penderies sombres. La glycine de la façade amorce une floraison éparse et souffreteuse.

Les cars Thorel, excursions et pèlerinages, vente de billets SNCF, le café Le Progrès, qui sent l'anisette et le quinquina, la Banque populaire du Tarn et de l'Aveyron, le cinéma Le Palace où un jour arriva *Le Mépris* et les fesses de Brigitte Bardot, sur les photos accrochées à l'entrée, juste après la pâtisserie désuète au décor meringué et aux consoles raides comme des biscuits secs. Les fesses de Brigitte Bardot, pommelées, provocantes, tellement mieux que les brioches au sucre. À l'intérieur du Palace, avant que le film ne commence, il y a une toile peinte qui masque l'écran. Les commerçants peuvent y faire figurer leur publicité. C'est un immense patchwork de noms, d'adresses et de numéros de téléphone. Charcuterie Maraval, Chaussures Cahuzac, Établissements Cauquil, Vêtements Au Progrès, Vaisselle Cabaussel, Librairie Papeterie Coulier, Brûlerie du Croissant. Jackson Pollock équipé d'un mixer se serait régalé de cette toile-là.

Plus loin encore, à l'angle du bureau de tabac, celui qui n'est pas plus grand qu'un tapis de bain, commence le boulevard du matin. Il passe devant l'hôpital, devant la maternelle, devant l'ancien collège et puis tourne à gauche jusqu'au pont Miredames. Plus d'un chapeau a dû tomber dans la rivière, quand les dames se penchaient par-dessus le parapet en relevant leur voilette. On imagine le chapeau s'éloignant au fil de l'eau, avec élégance et une flottaison impeccable, sous l'œil de la dame l'accompagnant d'un sourire amusé ou désabusé.

Passé le pont, le boulevard file vers la halle aux grains et les deux avenues qui sortent de la ville par de longues côtes pénibles pour dissuader le gamin à vélo d'aller trop loin.

Le dimanche matin, la grande place est vide. Quelques allées et venues du côté du Palmarium. C'est tout. L'après-midi, un peu d'animation. Le motoclub a rendez-vous devant le café Le Progrès avant une virée du côté du Pic de Nore ou du Pas du Sant, là où les tournants sont gourmands de mécanique. Le soir, le car du ski club revient des Pyrénées et se gare devant chez Thorel. Les anoraks, les bonnets, les fuseaux sont les tenues incongrues de ces dimanches soir où la place, trop grande, sait qu'ils seront ses derniers passagers avant le vide de la nuit.

De la salle à manger on voit d'un côté le jardin public, jusqu'au petit pont en dos-d'âne qui enjambe le bassin comme dans les jardins japonais, et de l'autre on a la vue sur la place, les platanes, l'ID qui stationne et les vélos Tabarly.

Un balcon à l'espagnole surplombe l'entrée. Encore deux étages et c'est l'atelier. Bien sûr l'ID n'est jamais montée jusque-là et ne pourra jamais, mais elle sait les choses d'ici. Les boîtes de gouache et d'aquarelle, les pinceaux en poils de loutre, le papier d'arche format raisin, les grosses pinces noires, les pots de yaourt pour y mettre de l'eau, les carnets à dessin, le bloc qui sert de palette, et même l'odeur de l'huile. L'ID sait tout cela.

Les dimanches après-midi, à la belle saison, son capot sert d'atelier mobile du côté de Viviers ou de Sendronne. Les tubes s'y dispersent, les carnets s'y installent, les collines, les cèdres, les haies, les rivières et les toits de tuiles y imprègnent le papier détrempé sous l'action du pinceau. L'ID affirme ainsi une utilité par l'immobilité si incongrue pour une voiture.

Le stationnement d'ordinaire passif réussit alors une contemplation active et fructueuse. C'est là sous le pare-brise, il n'y a plus qu'à poser le regard. Ça change des arbres qui défilent à vive allure ou des bouts de trottoir ennuyeux qui bordent le stationnement. Le mouvement du pinceau, les nuances de bleu, de gris, de vert, parfois même un chemin bordé d'arbres, un ciel d'orage, les cyprès d'un cimetière, tout ça en restant là, à l'arrêt ! Ah, l'aquarelle ! Des parcours plein les yeux, des paysages qui naissent dans des petits carrés de couleurs, des villages nouveaux ! Qu'ils sont doux ces après-midi penché sur le capot ! Pour elle, sortie des ateliers de Javel, pour elle, arrivée par le fret SNCF puis immatriculée dans le Tarn, l'aquarelle, quelle destination !

Sur la hauteur il y a un endroit où se tient un gros marché aux bestiaux, où il y a autant de bérets que de bestiaux. De là on voit les Pyrénées enneigées, quand le temps s'y prête. Derrière c'est l'Espagne, on passe la frontière, l'Anvalira, les coins vertigineux où la végétation n'ose s'aventurer. Frontière, un mot puissant, bien au-delà de l'accessible ordinaire, une fabrique d'images inconnues, des parts de mystère grosses comme des parts de gâteau aux pommes. Frontière, un mot où l'imaginaire se précipite à la vitesse du vélo en roue libre quand on descend la colline, avec des frissons dans la peau et les yeux écarquillés au risque d'y coincer un moustique. Frontière est un mot beaucoup plus grand que tout. C'est dans la même catégorie que paquebot, western, spoutnik et marathon. Et en plus avec « frontière » on change de langue et on change d'argent ! Frontière, quel mot formidable !

Il y a comme ça des mots que l'enfance visite à sa manière. La toute première fois qu'on entend un mot, on y met tout de suite quelque chose, du son et du sens qui se mélangent. On y met ce qu'on a sous la main. C'est un peu le principe de la farce, on la fait avec ce qu'on a dans le garde-manger. Les mots c'est pareil. Le mot est un espace vierge qu'on occupe au mieux. À l'intérieur on y met tout ce qu'on peut, comme la farce pour la tomate ou le poivron. Il faut que ça occupe bien toute la place et éventuellement que ça déborde un peu. Cette manière dont on remplit pour la première fois le mot, avec ce mélange de sens, peut avoir des conséquences étonnantes et fabriquer des malentendus qui durent des années. La femme en sainte, le rince d'oie, la lis tes ratures, le cas saoulé de Castelnaudary, la bouille abbesse, le violon sel. L'enfance a le sens du mot bien rempli.

Peut-être que le mot « frontière » n'émeut pas l'ID outre mesure. Au fond, pour elle, ça reste la même route, pas de discontinuité, juste une guitoune sur le côté, une barrière striée aux couleurs nationales, deux ou trois douaniers qui vous regardent attentivement, prennent leur temps, ouvrent le coffre, scrutent la carrosserie comme si elle avait quelque chose d'indécent. Frontière, peut-être que l'ID passe à côté. Et pourtant quelle délicieuse sensation d'entrer dans l'autre pays.

Avec le stationnement prolongé devant le 27, revient le temps des trajets brefs. Un saut à la brasserie, un saut sur la place, un saut jusqu'à Mélou. Ce bout à bout de distances réduites, cette apparente monotonie est pour l'ID un excellent exercice. Ce sont ses gammes. De cette répétition des trajets naît la nuance, la précision, la connaissance intime des surfaces parcourues. Le pneu met le doigt sur le détail, la plaque d'égout bruyante, l'ornière microscopique, l'entorse de l'asphalte. L'ID met en mémoire le point de corde, la trajectoire millimétrée, le geste juste. Gammes et macadam. Rue bidule, feu rouge, rond-point et contre-point, pont Biais, Briguiboul, Arsenal, rue de Laden. Prélude du matin. L'ID est au volant, petite musique de ville. Et parfois une fugue à l'heure du déjeuner, direction la campagne pour cueillir quelques asperges sauvages.

La ville, la campagne. Il y a toujours un peu de boue sous la semelle des souliers ou sur le flanc des pneus pour vous rappeler que ces deux-là, la ville et la campagne, ne se quittent jamais. On passe de l'une à l'autre en cinq minutes. Le bidon de lait dans le coffre, les œufs frais sur la banquette et l'Opinel dans la boîte à gants sont les messagers de leur conversation journalière.

C'est un jour de fugue à asperges, juste avant le déjeuner. On l'aperçoit. Il fait du stop à la sortie de la ville. On s'arrête. Il monte, s'installe, cale ses jambes et son sac. L'ID aime beaucoup accueillir sur sa banquette des fessiers nouveaux. Une barbe solide, un parler tout aussi solide, une allure certaine dans son habit désuet. On lui demande s'il va à sa campagne dont on sait qu'elle n'est pas loin. Trois kilomètres à vol d'oiseau. C'est au pied des collines, juste après le passage à niveau, du côté de Saïx, prononcer Saillesseu.

Le monsieur à l'habit désuet pose beaucoup de questions. L'ID l'étonne et l'intéresse. Ses questions sont précises, techniques. Il est curieux de tout, s'informe sur la suspension, le moteur, la conduite. Il aborde le sujet avec un sens aigu des enjeux, l'aspect industriel, les matériaux, la fabrication. Il tourne la tête à gauche, à droite, regarde tout ce qu'il peut à l'intérieur de l'ID. Son menton volontaire contraste avec la douceur de son sourire et sa manière délicate de poser les questions.

Pour lui l'ID est une mine de choses nouvelles, un champ exploratoire riche et compact. Elle lui ouvre beaucoup plus de portes qu'elle n'en a elle-même.

Il est né en ville, pas loin de la place. Une rue étroite et austère qui soudain descend comme pour baisser la tête avant de passer sous le petit pont de pierre de l'avenue du Sidobre. L'ID la connaît bien cette rue. Il est né là. L'autre maison c'est sa campagne.

On l'imagine, revenant d'une halle aux grains ou de la Verrerie Ouvrière, sur les petites routes, dans la chaleur étouffante de l'été, tout jeune député, transpirant dans la lourde flanelle, allant planter de halle en halle ses jolis grains d'humanité dans sa campagne, électorale celle-là.

De retour, il déjeune au frais, à l'ombre des cèdres, sur la grande table de bois, celle des banquets d'après moisson. Avec lui la conversation est charnue et gourmande de tout, comme une daube marinée de la veille est gourmande du faitout familial qui l'accueille, et sait prendre, des heures durant, tout le temps de la conversation avec chaque ingrédient.

Il va effectivement à sa campagne aujourd'hui. D'habitude il ne passe par là, mais par l'autre route. Il y va en calèche, c'est sa façon. Il aime aussi beaucoup les asperges sauvages.

On arrive devant chez lui. Il descend et prend son temps pour bien regarder l'ID. Rendez-vous est pris pour un autre trajet, une autre fois, d'ici quelques jours peut-être. Tout dépend de son emploi du temps, de ses allées et venues dans le département, de ses allers-retours à Paris. Beaucoup de choses l'occupent. Il pousse le portail de bois, dit au revoir de la main et s'enfonce dans le jardin.

Il a dit « Paris ». Dans les pneus de l'ID se glisse une impatience en entendant ce nom, « Paris ». C'est si beau d'aller loin. Elle l'accompagnerait volontiers à Paris, lui le monsieur dans son habit d'autrefois qui s'intéresse à tout et parle si bien.

Il y a cette photo de lui prise au Pré-Saint-Gervais. Il parle à la foule devant lui. Il porte un chapeau. Derrière il y a un drapeau qui flotte. C'est un jour de grand vent. Le drapeau est flou. Il parle sur une estrade improvisée. Il se tient au manche du drapeau derrière lui, et avec l'autre bras il fait de grands gestes pour appuyer son propos. Avec le bruit du vent, la foule, et les micros qui n'existaient pas, il n'y a que les tout premiers rangs qui entendaient quelque chose. Les autres, derrière, écoutaient attentivement, mais les mots n'arrivaient pas jusque-là. Les idées, elles, passaient, elles passaient sans le son, parce qu'il avait le don de les faire passer. La foule écoutait. Elle écoutait la conviction qui s'entend si bien, même de loin. Quand on le voit sur la photo, Jaurès, on comprend.

Jaurès, c'est le héros de l'ID, sa petite obsession. Elle a toujours rêvé de l'accueillir à bord, de l'accompagner quelque part, bref de rouler pour lui. Elle passe si souvent devant sa maison natale. Ça vaut bien, de temps en temps, un rêve fou qui s'invite dans le pare-brise, une jolie petite hallucination qui déboule un jour de fugue à asperges. Jaurès faisant du stop.

Matin d'hiver. Effervescence. Faire-part de mariage. La décision du voyage s'affirma comme l'évidence du miracle pour le Saint-Siège. L'ID monterait à Paris. Retour aux sources. Sans Jaurès mais en famille, avec au programme l'immense nationale 20. Cette route-là accumule les départements comme on empile les livres avant de les ranger dans la bibliothèque. Elle traverse de part en part des campagnes entières spécialement conçues pour l'enclavement. Elle passe par des gros bourgs perchés où les poids lourds s'y prennent à deux fois pour prendre les carrefours. Elle est nationale par l'appellation, régionale par étapes, un brin internationale par quelques plaques anglaises en exploration. Elle avale les kilomètres goulûment comme le fakir son sabre. Nationale 20. Des noms en « ac » à la queue leu leu, Donzenac, Magnac, Arnac, des côtes qui n'en finissent pas, des lignes jaunes continues aussi longues qu'un cortège officiel un jour de funérailles, des « routiers » enfumés, avec des plats du jour conçus pour que le ventre arrive à caler le volant du camion. Elle a même quelques boulevards extérieurs pour éviter les grosses villes alors que tout l'intérêt c'est justement d'aller vers le centre, comme d'aller chercher la truffe au milieu du foie gras. Nationale 20.

Après les noms en « ac », l'appartenance à la langue d'oïl pointe le nez. Bessines, Argenton, Lamotte-Beuvron, un nom qui sonne comme menton et jambon, une recette qui a mal tourné. C'est l'endroit des sœurs Tatin, là où elles ont eu l'idée de la tarte à l'envers avec le caramel dessous dessus.

Pour un gamin du pays de cocagne, la Sologne est une version du train fantôme sans les attractions. Ils ont un accent aussi inquiétant que leurs forêts profondes. La Sologne est un seuil, une zone tampon, le dernier morceau de la nationale 20 avant qu'elle ne se perde dans la platitude de la Beauce puis l'écheveau routier annonçant le redoutable 75.

Une convergence immense. Une pieuvre d'asphalte qui va vous engloutir. Comment entrer dans la bête ? Par quel bout commencer, par quelle rue s'y prendre ? Et surtout éviter que l'ID ne soit le fretin dans la gueule du monstre. Que dirait Jaurès en voyant pareille surface consacrée à l'automobile ?

On loge tout près d'une grande gare, quelqu'un de la famille. L'ID stationne en bas. Immigrée dès l'enfance elle n'a pas vraiment connu Paris. Tout est nouveau pour elle, plus grand que dans les guides, plus compliqué, plus sophistiqué. L'imbroglio urbain. Circulez. 75. Elle a toujours eu pour ce numéro un sentiment mitigé. Fascination pour la plaque d'immatriculation, son aura, l'éloignement, la taille de la ville, et une prudence extrême face à l'arrogance et aux manières bruyantes.

Les voies ferrées se croisent et s'entrecroisent pour brouiller les pistes et les destinations. L'appartement donne sur l'arrière de la grande gare. Les flux vont vers Lille, Valenciennes, le nord et les pays miniers, où la troupe, autrefois, n'hésitait pas à tirer les jours de grandes grèves. La fenêtre reste entrebâillée sur les voies. Il fait frais, presque froid.

L'appartement n'est pas en chantier mais une sorte de chantier. Le désordre est prenant. Une forme de construction par l'amoncellement, une chronologie au jour le jour. Tout s'empile sans critère de taille, de forme, de thématique, juste de la chronologie. Le désordre dont l'ordre est uniquement dicté par les jours qui se suivent. À chaque jour ses nouvelles pierres, ses petits morceaux qui peu à peu se nichent, s'installent et fabriquent de nouvelles piles qui finissent par un penchant pour la tour de Pise. L'espace cherche des respirations, un bout de surface à couvrir, un arrière de pendule inoccupé, un coin de table comme fondation d'une pile à venir. Ainsi la part de surface disponible devient une part de classement impromptu, une forme de rangement.

Il y a du parquet, une commode Louis XV, une petite table de marbre vert, un portemanteau qui disparaît sous les manteaux, et encore du parquet. Il est ici utilisé comme une sorte de meuble en bois, à même le sol, très spacieux et très plat, prompt à empiler tout ce que l'homme aime mettre en colonnes livresques, jusqu'à hauteur de coude. Accoudé aux bouquins comme au zinc d'un bistrot de quartier. « Un Balzac bien serré ! Et deux Mauriac, bien frais ! Vous nous remettrez bien un p'tit Simenon, m'sieur Jean-Paul ! »

De la fenêtre côté rue, on voit l'ID, en bas, entre deux 75. Elle parle marchés au gras et cochonnailles, province et coins à champignons, ou chiffons, cambouis et garage à la mode. Dans le salon, il y a deux fauteuils en cuir aux bras de bois. On a l'impression qu'ils ont voyagé longtemps avant d'arriver là. Dans la salle de bains, la fenêtre reste aussi entrebâillée. Le bruit de l'eau se mêle au bruit des trains. La douche est énorme, une pomme géante, une grosse pluie d'orage qui tombe sur les épaules presque sans prévenir. La cuisine est moderne. Il y a un réfrigérateur. Il est sur-monté d'un moteur qui s'inspire du radiateur électrique et de la lessiveuse. Il y a au mur quelques photos noir et blanc de la famille prises à divers endroits. Il y a aussi une grande table faite pour ne rien y poser vu que tout est déjà dessus et en grande quantité.

La première nuit est vive. Le sommeil recule à chaque mouvement de paupières censé l'en rapprocher. Excitation. La sensation si intense d'être dans le ventre de la grande ville, comme Jonas dans la baleine, d'être là où tout est plus grand qu'ailleurs.

Matin froid. La limpidité est venue dans le ciel de Paris, comme dans les ciels de mistral. Lumière cristalline, découpes au scalpel, arbres fluides de contre-jour, avenues toutes en étirements, verts nets et rasants, pavés nettoyés à la pureté du jour, trottoirs frais, asséchés, granit et goudron, granulation du sol, façades enjouées, matières à reflets, et drapeaux aux couleurs officielles pavoisant au ralenti. L'ID roule dans Paris. Ça lui suffit. La limpidité du ciel associée à l'arrondi de son pare-brise rend les choses si fluides et si panoramiques. Elle découvre les grandes avenues, les places immenses, les carrefours complexes, le flot des voitures de toutes sortes, et souvent d'un autre âge, et le bruit si particulier des pneus sur le pavé, un bruit qui claque et qui colle. Tout ça ne l'effraie pas. Au contraire, elle se sent comme une princesse sans traîne ni cortège. La pureté de ses lignes, sa modernité évidente lui donnent un léger ascendant et lui évitent tous les petits embarras d'une provinciale dans le trafic. Plus elle roule plus elle se sent en harmonie avec la ville, avec son organisation, ses mouvements, ses flux et ses perspectives. L'ID se sent bien, en accord parfait avec l'immense règle du jeu de la navigation automobile.

Elle découvre aussi les bus, pas les autocars, ceux-là elle les connaît, ceux qui vont à Lacrouzette ou à Mazamet. Non, les vrais bus de ville qui ont des arrêts prévus à cet effet.

Ces bus-là, du modèle courant, font un chuintement quand ils s'arrêtent et repartent. Comme le bruit d'une robe à volants qui passe par une porte étroite. Un souffle presque humain. À croire qu'à force de transporter tant de gens, les bus, par mimétisme, en ont retiré quelques urbanités et des respirations de vieilles personnes essoufflées.

L'ID découvre aussi les bouches de métro mais elle sait bien que les choses en resteront là, comme pour les maisons, des volumes de mystère qui restent à l'intérieur.

Dans ce Paris tout nouveau pour elle, l'ID n'a de cesse de circuler pour dénicher des coins, des recoins et des étonnements. Il y a deux endroits qu'elle aime particulièrement. Le coin de Balard, là où elle est née, dans les bureaux d'études et les immenses usines qui vont du quai de Javel à la rue Saint-Charles. Elle aime toute cette activité qu'on perçoit à l'intérieur des ateliers : le bruit des presses et de l'emboutissage, le ponçage, les fraiseuses, les chaînes de montage, toute cette activité humaine qui donne naissance à des ID comme elle. Et elle adore l'animation du dehors, les grandes portes cochères entre-bâillées qui laissent voir un peu du dedans, les bistrots du quartier où les ouvriers en bleu de chauffe, bleu comme les paquets de Gauloises, vont prendre un « rillettes cornichon » et un blanc gommé.

Le « rillettes cornichon » est une invention qu'elle a bien l'intention d'importer, d'une manière ou d'une autre, dans le panier à pique-nique, un jour d'escapade future. L'autre endroit c'est le trajet Madeleine, rue Royale, place de la Concorde, le pont du même nom et l'arrivée face à l'Assemblée nationale. C'est beau et impressionnant. Elle aime tourner autour de l'Assemblée, passer et repasser, ralentir devant les grilles, stationner quelques minutes sur la petite place qui est derrière, laisser passer une voiture officielle avec chauffeur, observer les allées et venues, la barrière qui se lève. Ça l'amuse beaucoup. Mais surtout elle se dit qu'un rêve peut surgir, une apparition prendre forme, Jaurès arrivant à la Chambre des députés un jour de motion de censure contre la loi des trois ans.

« Monsieur, ce serait un honneur de vous conduire jusqu'à la gare d'Orsay, à votre train de nuit, s'il n'est pas trop tard quand vous sortirez de la Chambre. » Tout en imaginant la scène, l'ID se dit que le plus simple serait de faire ça là-bas, au pays, quand elle sera de retour et Jaurès aussi. Aller le chercher un matin à Albi, à l'arrivée du train de Paris et filer dans la campagne pour une fugue à asperges. C'est fou ce que Paris emmène loin !

Elle attendait qu'on passe la prendre, près de la place en rond, c'est facile à trouver. La future mariée voulait faire un petit tour en ID. On ne refuse rien à la mariée la veille de son mariage. Elle ouvre la lourde porte cochère et sort de l'immeuble, à la manière d'une dame de cour passant par une porte dérobée. Elle porte un manteau court, boutonné sur le côté et blanc. Une luminosité enveloppante et bien coupée, une pâleur plus qu'un éclat dans la nuit, une candeur revisitée prompte à suggérer à Blanche-Neige de faire un petit tour chez un grand couturier. La voilà dans l'ID. Elle est excitée comme une puce et surtout fière d'être dans cette auto. Une Parisienne toute fière de faire un tour de

Paris dans une voiture immatriculée en province, elle a forcément un bon fond.

Direction la Seine. La promenade est joyeuse. On suit ce qu'elle nous dit. L'ID se régale de l'entendre énoncer des endroits, des monuments et des lieux importants en y mettant ce qu'il faut pour amuser la galerie. Une jeune femme drôle et jolie, qui mène son monde dans Paris et roule avec un 81 aux fesses sans sourciller. L'ID n'a pas l'habitude. Ça change de tous ces hommes qui parlent voiture dans une voiture ! Soudain on traverse la place du Palais-Bourbon et on s'arrête, juste derrière l'Assemblée. La jolie passagère lirait-elle dans les pensées de l'ID ou simple coincidence ?

Bien installée sur le siège avant, elle nous raconte l'histoire d'un rendez-vous, quelques années plus tôt, dans l'immeuble d'en face. Une rencontre de la veille lui avait proposé de passer chez lui un samedi matin, pour un je ne sais quoi, un prétexte qui la fit venir là, loin de ses bases, à une heure incongrue. La façade de l'immeuble disait déjà beaucoup de l'appartement du premier. Vaste, avec des canapés où on s'enfonce presque trop, des rideaux lourds comme un parfum enivrant trop sucré, des meubles de qualité puisés dans des ventes aux enchères, inspirés par l'Orient ou la mémoire sommeillante de l'Afrique équatoriale. Bien sûr c'était un piège aux contours enveloppants et précis. L'homme en robe de chambre fit sa proposition, sûr de lui, sur ses terres, calmement, mais avec le culot que lui donnait l'incongruité d'une présence féminine arrivant le matin. Elle motiva au quadragénaire sa fin de non-recevoir, avec humour et fermeté. Elle redescendit le grand escalier et sortit sur la place. On peut penser que, là-haut, il tira légèrement un rideau, peut-être assorti à sa robe de chambre, pour voir filer la belle sur le chemin du retour.

Elle nous raconta cette histoire, à propos de la place, tout de go, pétillante, la veille de son mariage. Une bien jolie personne.

Après quelques compliments sur le choix de notre automobile, elle disparut dans son manteau blanc, au coin du métro Dupleix et sans complexe.

L'ID resta sur cette belle impression féminine qui vint se nicher dans la vitre côté passager, une forme de tirage argentique dont le verre Sécurit a le secret pour mettre en mémoire un souvenir.

Il y a les albums, les photos encadrées ou celles que l'on glisse sous le cuir du portefeuille. Et il y a la mémoire sans photo, la mémoire du visage de l'autre, faite de contours, d'un sourire, de l'éclat des yeux, d'une boucle dans les cheveux, d'un mouvement du cou, de la couleur des lèvres à l'instant d'une émotion. Cette mémoire-là est vivante mais en sursis. Il faut y revenir, la nourrir, parfois des années durant, mémoire vive mais qui peut fondre comme la barbe à papa, mémoire fragile, mouvante, qui cherche souvent son calque, sa profondeur de champ. La mémoire du visage de l'autre est une photo sans photo qui a la bougeotte et se cherche, c'est toujours une mise au point.

Le plan de Paris est ouvert au-dessus du grand bric-à-brac de la table de la cuisine, celle où tout est déjà dessus. Les regards balayent les arrondissements comme le font matinalement les balais en genêt sur les trottoirs et les squares. La découverte de l'arrondissement est un choc culturel, un changement d'échelle qui fait réfléchir sur les proportions provinciales. L'arrondissement : des villes entières installées côte à côte. L'arrondissement : une façon d'arrondir les angles et de faire un compte rond qui permet aux pièces du puzzle parisien d'entrer dans la coquille d'escargot qui en dessine le plan, tout aussi concentrique qu'excentrique.

Attention, on quitte le 5e. Attention, on entre dans le 7e. Attention, on est dans le 16e. À Paris on vit dangereusement. On passe d'une contrée à une autre avec désinvolture et une conscience tribale aussi aiguisée qu'un Laguiole. Le Parisien a du mal à compter jusqu'à vingt. Sa vie inclut un nombre très restreint d'arrondissements. Le sien est au centre de tout, et les rares arrondissements élus en sont les compléments périphériques dont la seule utilité est de renforcer les innombrables avantages de l'inestimable arrondissement où il habite.

Paris est égocentrique. La faute à Voltaire, la faute à Rousseau ? La faute à son plan en coquille d'escargot, la faute aux provinciaux peut-être ? Jambon de Paris, champignon de Paris, un Paris-Brest et un Paris beurre ! Paris-Roubaix, Paris-Nice et Bordeaux-Paris. Paris tient une place énorme dans la géographie de tous les jours faite d'appellations contrôlées et de courses cyclistes. Quelques villes autour essaient de lutter : Chantilly, Chambourcy, Fontainebleau, Nogent, Versailles, Barbizon. Chacune à sa manière tente sa notoriété.

C'est beaucoup plus haut que le cèdre et ce ne sont pas les branches qui manquent. Prendre le temps de regarder en l'air. Basculer la tête en arrière, fermer les yeux, laisser les paupières s'imprégner de la lumière, laisser la lumière infuser. Ça nettoie le pare-brise d'un coup ! C'est si rare une immense ouverture vers le ciel qui n'accroche pas un bout de colline au passage pour en faire un horizon bucolique. C'est si rare une perspective aussi étirée qui ne soit pas celle d'une route. C'est si rare de prendre le temps de regarder en l'air. On dirait que l'antenne là-haut peut amarrer les nuages ou leur piquer les fesses.

À côtoyer la tour, l'ID ressent des racines communes. La filiation de l'acier, des ingénieurs et de leurs équations complexes dont elles sont l'aboutissement empreint de perfection. Certes, l'ID est toute de volumes lisses, de lignes tendues, d'aérodynamisme, quand l'autre est enchevêtrement, croisillons et ferraille. Certes, chez elle rien n'apparaît, tout est carrossé, chez l'autre tout est à nu. Mais l'ID à sa manière descend de la tour Eiffel.

C'est une nuit froide et ventée, le long du canal, où ce qu'il reste du chemin de halage emmène le regard loin, là-bas, hors de Paris, vers le plateau, puis vers la Marne, la Meuse, vers l'est, et plus loin encore, vers des plaines nues, des maisons de bois, vers l'est lointain de l'Ukraine et de Kiev, vers des rivières à truites où naissent des reflets d'or, diffus, fragiles, où même la lumière des matins d'été dit le froid de l'hiver, les crissements de neige sous les patins de luge, les crissements de glace sur des étangs gelés où les écharpes s'enroulent au nez des patineurs, le gris-blanc de l'écorce dans les bois de bouleaux, au fond des bois d'Ukraine, des quais sur des rivières, des pontons sur des lacs, de ces gris, de ces blancs surgissent le blond et l'or, le reflet, le diaphane qui enroulent la lumière, la dispersent, en fragments, en morceaux. Blond des boucles et boucles de la Seine, chevelures de l'est et périple vers l'ouest. Suivre la Seine, de pont en pont, suivre les boucles d'une inconnue, un souffle dans les cheveux, une ID qui s'en va, une ID vous emmène.

Quelques mois plus tôt, un samedi matin où *La Dépêche* était restée sur le siège avant, elle avait pu voir en première page une photo de l'inauguration du pont de Tancarville. L'idée de lui rouler dessus tentait infiniment l'ID. L'automobile est friande de sensations nouvelles. Être parmi les premières à rouler sur du neuf, poser les pneus sur des surfaces vierges, inaugurer un pont, enjamber un fleuve, le genre de parcours qui vous parcourt l'échine. Et quelle conversation, après dans les garages, les jours de révision ! Puisqu'on est à Paris, autant pousser plus loin, tester la Normandie.

L'ID et l'autoroute c'est la première fois. Toutes ces voies. Faire son choix. Drôle de nom, autoroute. Comme si les autres routes n'étaient pas pour l'auto. Autoroute pour dire quoi, que ça roule tout seul. Autoroute à quatre voies. Autoroute à quatre voix. Voie royale, voix royale. Il avait la voix ferrée, elle avait la voix lactée. L'enfance aime les mots bien remplis et l'ID n'aime pas les mots à sens unique. Larrons en foire, mots giratoires.

Jamais la suspension n'avait goûté un asphalte de cette qualité pendant aussi longtemps. Les jambes du guépard, la course de l'aurex, le lévrier sur la cendrée, des sensations nouvelles parcourent l'ID qui file vers la Normandie.

Giverny, un panneau sur la droite, les boucles de la Seine, un méandre niché dans un coin de carnet, dans un coin de capot. Giverny, un nom qui sonne comme hiver et givré, comme hiver et vernis, qui sonne comme une glace, un sorbet. Sorbet aux nénuphars ? Giverny tout près, panneau annonciateur, présage pictural du paysage à venir. Tester la Normandie.

Tendre, acide, cru, pomme, anglais, que de verts ! Vert brouté, vert touffu, vert de talus, vert de vieux chêne tout seul au milieu de la prairie, vert de bosquet près de la ferme, vert de bord de ruisseau, vert des collines au nord. L'autoroute et l'ID estompent le paysage dans le verre Sécurit du pare-brise qui peine à garder l'argentique mémoire de ses verts dispersés. Ces choses qui disent les couleurs se racontent si bien avec le petit pinceau en poil de loutre et le carnet d'aquarelle posé sur le capot. Mots du stylo, mots du pinceau, pour les couleurs, y a pas photo !

On a tourné à droite et filé vers le pont. Une bretelle d'autoroute au tracé détendu et doux dont on aimerait qu'elle ne finisse pas. Depuis qu'elle est entrée en Normandie, avec ce pont en tête, l'ID ressent des impatiences dans ses pneumatiques, comme la trottinette avant le petit tremplin qui l'attend. Du coup pour se calmer elle semble glisser, par-ci par-là, un peu de crème fleurette dans sa suspension, ce qui donne à la conduite une forme d'onctuosité. Les courbes s'étirent, les tracés s'alanguissent. L'ID anticipe peut-être. Les doses de crème fleurette cherchant à reproduire, avant même d'y avoir goûté, l'effet du roulement sur le pont suspendu, ce mouvement à peine perceptible, souple et délié, comme un ralenti lourd, cette minuscule amplitude du pont amarré à ses câbles. Car entre suspension et pont suspendu il y a une similitude qui forcément vient à l'ID. Et même si sa suspension est faite d'air, et celle du pont de câbles, il y a là cousinage de la sensation.

1420, 123 et 608, longueur, hauteur et tablier, depuis l'article de *La Dépêche* l'ID connaît son pont. Mais que voit-on de là-haut ? Suspendu au fleuve, suspendu à la vue ? Trop brève traversée, coincée entre les parapets. La Seine se passe trop vite. Où est passée la vue ? Déception sur le pont. Quant aux dames qui veulent se mirer dans l'eau et perdre leur chapeau, il y a certes tout le vent qu'il faut mais...

Demi-tour. À peine revenue sur l'autre rive, l'ID se dit : « Guillaume aurait gagné deux jours. » Guillaume c'est Guillaume le Conquérant. C'est comme ça, il y a Jaurès et Guillaume, ne cherchez pas pourquoi. C'est l'ID. Elle sait de quoi elle parle.

À l'embouchure de la Dives, Guillaume attend avec sa flotte, et de la flotte en cet été de 1066, il y en a. Des trombes d'eau. Tempête sur la Manche. Impossible d'embarquer. Avec les chevaux, les armes, les bateaux instables, folie. Guillaume attend pendant des semaines. Il finit par embarquer. Quelques bateaux sombrent, il perd quelques barons, et s'en va faire escale à Saint-Valéry-sur-Somme. De là il traversera et débarquera en Angleterre, bataille d'Hastings et tout le toutim. L'ID adore cette histoire. Rien à voir avec une photo dans *La Dépêche du Midi*. Elle aime les épopées, les chevaliers, les cottes de mailles, les armures. Les tout débuts de la carrosserie ?

Pour aller du sud au nord de son duché, de son château de Falaise jusqu'à Fécamp, Guillaume devait passer par Rouen. Trois jours à cheval. Par Tancarville, deux jours de moins. Ça vous change un duché. Et en ID ? Si Guillaume avait eu l'ID !

La maison est posée sur la prairie. Un arbre pour l'ombre, une haie pour le regard et lui éviter de se perdre dans la désespérance plate. Il fait froid. L'air emmène avec lui de grands morceaux d'hiver, turbulents et instables, venus de l'est, de plaines glaciales et crues, de toundras à vodka. Il y a la cheminée, le feu, les grosses bûches, toute une activité centrée sur la température à faire remonter. Âtre, être. Il y a les provisions sorties de l'ID, comme pour tenir un siège, le siège de Normandie.

Des oiseaux s'essoufflent dans le ciel trop grand. Le soleil hésite. Quelques bourgeons tentent une percée sur l'arbre frileux. Et dehors, le vent froid et ses syllabes aiguisées disent : restez dedans, restez au chaud. Ce n'est pas un printemps pour ceux du pays de cocagne.

La pâtisserie de Bayeux ! Une vraie destination ! Ses croissants au beurre, ses éclairs, ses madeleines. L'enfance préfère les mots bien gourmands. L'ID heureusement ne saurait s'égarer sur le sujet de Bayeux. Guillaume, sa vie, son œuvre, difficile de passer à côté de la tapisserie. Et même si l'ID sait qu'elle n'en verra rien, à Bayeux on s'arrêtera. Partir à la conquête d'un royaume où ils ont un jour décidé de rouler à gauche ! C'est Guillaume et personne d'autre.

L'autoroute finit en nationale. Route du bord de mer humide et iodée. Réinventer la mer, moins austère et moins froide, avec des ciels où Turner aurait laissé la place à Manguin, aux « baigneuses », pieds nus sur les aiguilles de pin. Marée basse, très basse, à l'endroit de la grève et des graves, graves profonds, comme dans une suite pour violoncelle. Et sur la grève d'un gris noir, les galets éparpillés sont comme des notes qui cherchent leur portée. À portée de vue, à portée de la route qui rase la grève sans péage et sans bruit. Juste le vent de mer. Quelques parcs à huîtres, des creuses de Cancale en cale dans leur eau, occupées à se nourrir de tout ce qui ne fera qu'une lampée, dans un bruit de succion avec ou sans citron.

Le grand rocher jaillit de l'eau tel un geyser noir. Les sentiers s'enfoncent en raidillons entre les bruyères et les pins qui se tordent d'une étrange douleur au vent. C'est si loin de la Méditerranée tout ça !

Le Grand Hôtel Marcel est face à la mer. Porte tournante, hall à froufrous, piano dans un coin et lustres à faire pâlir les boules de Noël. Sur le parking l'ID fréquente des consœurs de même pedigree. La pelouse, les plates-bandes, les balcons, les rues en arrondi, élégantes et proprettes, racontent l'insouciance. La mer et les marées occupent les conversations par petites vagues successives venues des canapés de velours rouge. La salle à manger est certainement la cousine germaine de la pâtisserie au décor meringué, celle de la place, juste à côté du cinéma Le Palace et de la Banque populaire du Tarn et de l'Aveyron. Le barman astique ses shakers comme des lames de sabre. De temps en temps un courant d'air venu de la plage attise l'ambiance à l'heure du thé, à la manière d'un soufflet sur le feu sommeillant. La promenade du bord de mer berce le dépaysement de ceux qui s'arrêtent devant l'Hôtel Marcel. Rêveurs et sous le charme de la grande bâtisse stylée, ils s'amusent à entrer par la porte tournante avec des airs de gamins pris en faute. « La mer, la mer, toujours recommencée[1]. » Les petits nuages gris, qui sont à peu près les seuls troupeaux de moutons de la Normandie, déboulent de l'ouest pour

---

1. « Le cimetière marin », Paul Valéry.

s'assurer de la conformité du climat aux exigences locales.

Tôt le matin, sur le départ, dans le jardin de l'hôtel, un air si différent du soir, plus vaste et disponible, à l'écoute des bruits, d'un petit craquement, d'une pigne qui tombe. Bruit de l'eau en contrebas, petites vagues tissant le bord de mer d'écume légère, « d'écume des jours[1] ».

L'herbe s'est lavée d'une ondée de passage dont elle garde la sensation fraîche au creux de ses racines. Fragile, elle plie sous la gouttelette qui l'encombre un instant du poids limpide de son eau.

C'est le moment où le gravier crisse d'un roulement de voiture qui s'en va. Adieu bord de mer accueillant et faussement paisible. Le portail est ouvert. Franchir le portail, se glisser sur la route, comme un chat pneumatique, un Bombard félin. Rouler vers l'est, vers la lumière. Une attirance des yeux et des paupières pour le

---

1. *L'Écume des jours*, Boris Vian.

soleil rasant du matin dont elles aiment piéger l'éclat.

Le levier de vitesse est zen, le contraire du *vroum vroum*. Le moteur savoure sa volupté souple. L'à-coup est oublié. La route est une invite aux courbes amples et généreuses, bucolique parcours sans encombre. La campagne s'étire comme un animal au soleil. Vive l'automobile.

Il faut y être à 11 heures. 11 heures c'est la bonne heure. Bonheur ? Être à l'heure. Et d'ici là, des prés et des vaches, des vieux chênes et des haies, des clochers en repère, des villages en attente, des tilleuls à l'arrêt. 11 heures. Un tout petit hameau, loin de tout. Une maison basse, de plain-pied, un muret, un arbre, un accueil si anxieux et si préoccupé, un accueil qui attend depuis si longtemps d'ouvrir les bras et de parler. Grande tante normande. Non ce n'est pas une pâtisserie.

Le chien aboie pour dire qu'on est à l'heure. Il fait beau. Une belle lumière qui dit : bientôt tout ce qui se passe dedans se passera dehors, sous le pommier. La porte s'ouvre sur la grande cheminée. Tant de jours, tant de nuits qui ici se consument. Solitude de braise. On est resté un peu, peut-être une heure ou plus. Ne pas rester longtemps, visite de courtoisie. Arriver puis partir, ne pas laisser s'ouvrir, là dans la maison, le champ bien trop béant de la conversation.

Un restaurant pas loin, y être avant 13 heures. La province souvent a des horaires bizarres, précis comme un notaire, exigeants comme un chef. Il fait bon. Ni vieilles bêches, ni roues de charrette. On respire. La brique rouge hésite entre Montauban et les pays miniers. Déjeuner de famille. Le soleil est là, juste dans la fenêtre. Il y reste, satisfait d'éclairer toute cette tablée. Grande tante normande. Heureuse d'être là, si fragile des autres, sortie de son chez-elle chargé de trop d'ennui, que seule la cheminée rappelle d'un peu de feu, d'un peu de cendres.

La gourmandise est vraie, de celle qui est restée longtemps loin des cartes de restaurant. Les mots ont le sourire et les dames ont les mots qui les aiment et les font si jolies, des mots de retrouvailles et de vieux souvenirs qui ne se disent pas au téléphone. Des mots qui ne se sont rien dit, depuis tant années. Ils avaient perdu l'habitude de la conversation et la retrouvent avec hésitation. Le déjeuner prend ainsi tout le temps de la fragilité des êtres qui l'habitent dans la crainte du mot de la fin.

Au revoir la Normandie. Remercier Guillaume, remercier la dame de la pâtisserie, laisser Tancarville, Giverny, Chambourcy sur les panneaux prévus à cet effet, traverser Paris, pour bien remplir les petits recoins encore inoccupés dans les bagages des souvenirs.

Nationale 20. Pourquoi s'en retourner par le même chemin ? Quand on a une ID c'est pour improviser. Il y a toujours quelque part un oncle ou une tante qui vous attend avec des édredons et un gratin de macaronis.

Moments d'excitation qui précèdent le départ. S'élancer. Projeter de la distance, de l'inconnu devant soi. S'élancer. Commencer à faire défiler des images dans une élasticité des paysages et du temps, avant même d'avoir fait le premier kilomètre. S'élancer. Prendre possession des haltes, prendre possession des lieux, les faire à soi pour quelques heures, une nuit, les habiter en les imprégnant de plus de temps qu'on y passera réellement. Occuper tout de suite la salle de bains, les tiroirs, les placards, y projeter de la durée comme si on y vivait déjà depuis longtemps et qu'on allait y rester pour toujours. S'élancer. Comme si la route était le lien intime qui nous avait déjà conduits jusque-là, un lien en charge d'une continuité rassurante, un long ruban où chaque endroit nouveau, chaque halte, formerait une petite boucle de bienvenue, comme sur le dessus des paquets cadeaux.

Quand on s'appelle le Morvan, le printemps justement ne vous fait pas de cadeaux et les morveux se pressent au coin du feu. Pour ceux qui ont dans les yeux les paysages de l'Estaque ou du pays de cocagne, le Morvan, dans ses brouillards cachottiers, est forcément hostile. Il devrait épouser la Sologne. Ensemble, ils donneraient naissance à des Morgnes, Morgnes collines, Morgnes plaines, des pays interdits aux touristes et réservés aux Morgnandaux. Les heureux Morgnandaux pourraient ensuite, en s'inspirant de Paris, créer un « Lamotte-Beuvron-Avallon » sorte de Paris-Brest en moins digeste ou une course cycliste du même nom. Heureusement le Morvan peut se traverser d'une traite et en ID.

Ce qui distingue l'ID des autres automobiles c'est entre autres un plancher parfaitement plat. Il n'y a pas de séparation, pas de gros tuyau encombrant passant au beau milieu du plancher, parce qu'il n'y a pas de passage pour l'arbre de transmission. Avantage de la traction, inconvénient de la propulsion. Un plancher aussi plat, notamment à l'arrière, ça change tout. Quand on a de grandes jambes, on peut très facilement passer d'un côté de la banquette à l'autre sans avoir à lever les genoux, sans faire d'effort particulier. On imagine très bien le Général glissant sans encombre d'un côté à l'autre de la banquette pour laisser Yvonne s'asseoir à côté de lui, un jour de départ pour Colombey, après qu'elle eut fait les courses pour le week-end comme à son habitude. Une fois le panier contenant les légumes, le rosbif et le canard, bien calé dans le coffre par les soins du chauffeur, celui-ci ouvrait la portière à Yvonne et parfois le Général effectuait une translation sur la banquette, dans un bruissement de flanelle émis pour l'essentiel par le pli du pantalon au niveau de la cuisse. Ainsi en toute simplicité, et pour tout équipage Yvonne et Charles installés à l'arrière, et le panier bien calé dans le coffre, l'ID appareillait pour Colombey par la nationale 5, traversant Melun, Troyes, Bar-sur-Aube. Yvonne se demandait si elle mettrait le canard au menu du déjeuner du samedi et le rosbif à celui du dimanche ou inversement. Son boucher de la rue du Faubourg-Saint-Honoré disait « le rosbif ». Yvonne n'aimait pas du tout ce mot de « rosbif » qu'elle trouvait inélégant et bien irrévérencieux en regard de ces années passées en Angleterre.

Yvonne hésitait toujours pour le rôti, samedi ou dimanche ? Quel sera le jour le plus approprié, si tant est que le Général, tout à sa table de travail ou pris dans une longue conversation téléphonique, prendrait en considération l'horaire précis du déjeuner défini par la formule « vingt minutes par livre » qui est à la cuisson du rôti de bœuf ce que le principe d'Archimède est à la flottaison, d'autant que le four de la cuisinière de La Boisserie compliquait l'exercice par un comportement calorifique poussif et aléatoire.

Le Général adopta l'ID ou l'ID adopta le Général ? Va savoir. Dans une des photos de l'attentat du Petit-Clamart, on le voit assis à l'arrière, la tête tout près du montant, lequel montant fut quelques instants plus tard traversé par les balles du tireur, sans que le Général soit touché. Le montant arrière droit fut la façon dont l'ID porta chance au Général qui considéra peut-être qu'on ne change pas une automobile qui gagne, surtout quand on peut si facilement se mouvoir sur sa banquette arrière.

Entre l'ID et le Général il y a quelque chose qui dépasse l'usage automobile ordinaire. Il y a là un duo hors norme. Tout chez elle remet en cause le train-train et repense le cadre habituel, comme le Général. C'est en cela que l'ID est au fond un peu gaullienne. Assis à l'arrière on découvre une sensation nouvelle. Ce n'est pas seulement dû au fait qu'il y ait plus d'espace, une plus grande liberté de mouvement, ce fameux plancher plat, il y a aussi cette inclinaison toute de l'avant vers l'arrière qui fait que quand on regarde le pare-brise, droit devant, l'ID a tendance à hausser l'horizon, à hausser la vision comme si elle haussait par là même le niveau d'exigence.

Tout en traversant l'austère Morvan par la nationale 6, l'ID vagabonde ainsi en pensée sur les traces du Général et des consœurs qui constituent le parc automobile présidentiel. Une fierté bien naturelle l'envahit à hauteur d'Autun sans qu'hautaine elle ne soit pour autant, juste cette fierté d'appartenance à celles dont le numéro de série commence à C 56542, sorties de Javel en février 1959, mise en service pour la présidence, bref des cousines germaines qui ont la chance de pouvoir apprécier à la fois le fessier et les conversations du Général. Cette rêverie d'une automobile en voyage se dissout dans l'attention nécessaire à la descente sur Beaune. La vue sur les coteaux, la proximité du Montrachet et du château de Meursault, l'éventualité d'un arrêt gourmand civilisé avec jambon persillé et œufs en meurette, laisse Colombey et La Boisserie à l'heure du déjeuner, dans cette hésitation, rosbif ou canard, dont l'ID a connaissance par cousinage.

On entend les trains, pas loin, un peu comme à Paris. L'hôtel est près de la gare, un arrêt pour la nuit, à Lyon, une autre grande ville, un peu de Paris emmené ailleurs. Des immeubles hauts, des rues qui paraissent étroites entre les immeubles hauts, tout un empilement d'étages et de gens, des portes d'entrée lourdes et des ascenseurs aux grilles aussi grinçantes que les rideaux de fer des bijouteries. Une nuit où les lumières de la rue se faufilent dans la chambre, entre les gros rideaux, pour faire entrer toute la puissance nocturne de la ville, son intensité physique, la vivacité de ses flux, et tous les cheminements qu'on en tire pour des promenades imaginaires qui emmènent le sommeil bien loin de ses passagers, là où il n'a pas le temps de se poser.

Après le hall d'entrée, après l'ascenseur, après les étages, il y a un appartement où elle est. Il y a une salle de bains, une étagère, une petite armoire, un endroit où elle range sa trousse de toilette. Et là, à l'intérieur de la trousse, glissée sur le côté, dans la petite pochette, il y a sa lime à ongles, la petite lime rouge dont le bruit d'imperceptible râpe emplit le souvenir de cet après-midi près de la serre, où les ongles alentour furent les petits points d'attache de sa sphère maternelle. Ah, la nouvelle cousine !

C'est ainsi. On entre chez les êtres souvent par le petit, le détail, le geste avec l'objet. Ils racontent plus qu'une conversation, plus qu'une promenade. Ils ouvrent. Ils sont la petite clé que les êtres vous donnent et qui d'un quart de tour, d'un mouvement délicatement intime, fait surgir des émotions aussi grandes que la clé est petite. Ce geste, ce détail, cet objet anodin c'est le morceau de madeleine que les êtres vous donnent à savourer, le petit zakouski de leur âme par lequel ils disent ce qu'ils sont, avec beaucoup de sincérité, et par lequel ils vous demandent d'être aimés tels qu'ils sont. Un sourire esquissé en lisant le journal, la manière de tourner le bouton de la radio, de tenir sa tasse de café, d'ajuster ses lunettes devant un tableau, de poser un livre avant de s'endormir, de tourner le volant, de mettre son chapeau ou de pencher la tête pour mettre une boucle d'oreille. Précieux et intimes zakouskis qui surgissent des autres.

Dans un de ces immeubles, dans une de ces rues, elle est là, la nouvelle cousine. Peut-être traverse-t-elle cette place le matin ou ce pont pour aller au lycée ? Le lycée du quartier ? Avec ces grandes villes où il y a plusieurs quartiers, plusieurs lycées, plusieurs choses de chaque chose, comment faire ? Elle est là quelque part, dans la ville. Elle est d'ici la nouvelle cousine. Et dans l'ID qui longe le Rhône, au même moment, un mot nouveau surgit, un peu comme des rillettes sur des fraises des bois : tablier de sapeur, tablier de sa peur. Mort de trouille à la première bouchée.

Le fleuve quitte la ville dans un long mouvement lent. Il a le bel arrondi d'un bras qui prendrait une femme par la taille. Le fleuve quitte la ville. Dans la salle de bains, la nouvelle cousine ouvre la petite armoire et la referme. Dans la nuit de l'armoire, la trousse de toilette et la petite lime resteront, attendront la main libératrice, les prochaines vacances et le temps du voyage dans le bagage anthracite, qui s'ouvrira peut-être, quelques heures plus tard, sur la grande maison près du cèdre.

Depuis la Camargue, depuis le bac du Sauvage, l'ID a le Rhône dans la peau. Une carrosserie peut-elle avoir la chair de poule ? L'ID à la proue d'un bateau, nez au vent, descendant le Rhône jusqu'à Arles. Lyon-Arles. Du fleuve rien que du fleuve, la masse du fluide, vivant asphalte ondulant sous la coque, la mer pour seule destination, sans arrêt, sans amarrage, le fil de l'eau, c'est tout. Et là-bas, plus au sud, prendre le temps du dilemme entre Grand-Rhône et Petit-Rhône, entre Port-Saint-Louis et les Saintes-Marie et le maigre pont suspendu du côté de Saint-Gilles. Dilemme du delta.

La route suit le Rhône, de près ou de loin selon l'humeur et les détours que lui impose la montagne toute proche. L'ID aime ce jeu de cache-cache avec le fleuve, cette façon de serpenter, sans oscillation forte, qui attise la tentation de l'eau dans la mécanique complexe de son échine automobile.

Sur la droite, les vignobles en terrasse plongent leurs racines au plus profond du massif granitique pour en retirer, avec une patience infinie, la substance d'un terroir où les rouges profonds ont la couleur des robes cardinalices qui s'attardent sous la voûte sombre des sacristies. Les villes le long du Rhône ouvrent leurs grandes terrasses ombragées où les platanes immenses ont un léger penchant pour le fleuve, une manière de révérence en remerciement de son eau si proche et bénéfique. La colline d'Hermitage et la petite chapelle là-haut, le pont de Tournon et les quais de Tain en vis-à-vis, défilent comme des cartes postales emportées par un courant d'air au passage de l'ID.

Il se fait tard disent les voyageurs. L'ID se gare sous les peupliers qui bruissent au vent du soir en imitant si bien le son de la pluie sur les feuilles. Il y a une guinguette où on mange des cuisses de grenouille dans de grandes assiettes creuses qui rendent plus gourmand. Le plancher d'une piste de danse est posé au-dessus des galets que le fleuve a laissés et qu'il s'amuse, parfois, à venir lécher pour leur redonner le goût de l'eau et du voyage aquatique. Les petites ampoules rouges, vertes, bleues, jaunes s'allument à la nuit tombée. Plus loin au sud, le fleuve s'élargit encore et laisse quelques îles s'installer en lui et partager ses eaux. Les rives larges hésitent entre le champ ou la plage, inondables l'hiver, jouant au bord de mer l'été. Elles sont les lieux des pique-niques, des parties de pétanque et du stationnement nocturne des amoureux en automobile cherchant un champ d'expression un peu à l'écart. L'ID s'imagine très bien accueillant ces ébats, souvent débutants et sexuellement compliqués par la structure de l'habitacle, la présence inopportune du volant et des dossiers à la verticalité encombrante. Par contre sa suspension pneumatique et son art de l'amortissement peuvent, se dit-elle, amener une sensualité bienveillante, un supplément d'âme à la mécanique des corps pour cet usage si particulier de l'automobile.

Et soudain l'ID rêve. Elle rêve d'un autre habitacle, rêve de sortir du monde étroit de sa carrosserie, rêve d'un espace intérieur semblable à celui des maisons, ces endroits où elle n'entre jamais. Elle rêve d'être une chambre, l'espace d'une nuit, une chambre pour accueillir ce couple qui vient de passer se tenant par la main. Ils ont frôlé son aile, ont continué vers le fleuve, un effleurement humain qui a sorti l'ID de la somnolence du stationnement. Ils ont refermé les portières, là-bas sous les arbres, et s'embrassent maintenant, s'enlacent sur les sièges d'une voiture bien trop petite pour mener à bien ce qui les presse.

Plus de coffre mais une vaste penderie, plus de vitres mais de belles portes-fenêtres avec persiennes et espagnolette, plus de pare-brise mais un joli balcon fleuri, plus de portières mais une porte ancienne à deux battants et, sur le plancher ultraplat, un lit, un grand lit spacieux pour les amoureux trop à l'étroit dans les automobiles. Ainsi se voit l'ID ce soir-là, accueillante, maternelle, réinventée, afin que les ébats puissent avoir lieu en son sein. Et pour le gamin assis là à l'arrière, cette configuration serait fort à propos, se dit l'ID, pour lui offrir une nuit sous le cèdre avec la nouvelle cousine.

« Il y a des draps défaits, des oreillers
épars, une lueur de l'aube, douce, enveloppante, une fenêtre quelque part, une
respiration dans les murs, dans l'espace,
l'espace d'une chambre, l'espace d'une
nuit, de mille nuits qui s'accrochent au
jour, au jour naissant, et rester immobile,
ne rien changer, ne rien bouger, courbe
des corps dans la lueur de l'aube, juste le
bruissement des âmes, comme du papier
de soie, de toi, de nous, à l'écoute de la
peau, du geste, de la courbe, d'un cheveu
sur l'épaule, des lèvres au repos qui n'ont
rien dit depuis longtemps, et sur les draps
défaits, les oreillers épars, la peau à l'infini,
la peau de chair et d'âme où les lèvres se
posent pour des mots en fusion, juste des
mots sans mots. »

Le rêve s'est refermé sur la chambre
comme la porte à deux battants. Une
fraction de seconde, les essuie-glaces ont eu
un battement de paupière. L'ID ouvre les
yeux et sort du songe, bousculant les reflets
des peupliers dans le Sécurit du pare-brise.
Là-bas, sous les arbres, les amoureux affairés
sur la banquette avant se redressent pour

un dernier baiser. Puis leur voiture démarre, décrit un arc de cercle et remonte vers la nationale. Dans quelques minutes, devant la porte d'une maison où tout dort, un long baiser scellera le début d'une nuit qui les séparera.

Il n'y a ni bal ni musette ce soir à la guinguette, il fait trop frais. Il y a juste quelques promeneurs qui boivent un demi pour accueillir les reflets des ampoules vertes, jaunes, bleues, rouges dans les verres à pied du comptoir.

Le jour se lève. La brume a bien du mal à décoller du fleuve. Elle forme au ras de l'eau de petits nuages tout droit sortis d'un message apache avant l'attaque du convoi. De petits nuages en pointillé hésitant à sortir de sous la couverture pour s'émanciper dans la campagne avant une disparition aérienne dans la lumière vive.

L'ID a passé la nuit tout près de l'eau, derrière l'hôtel, un gros hôtel massif et confortable niché dans une boucle du Rhône, dont on a l'impression, lui **le**

Rhône, qu'à tout moment il peut envahir la salle de restaurant d'un flot paisible mais puissant pour modifier l'ordonnancement des tables et faire flotter quelques toasts et sachets de thé.

Ce matin-là, à l'arrière de l'ID, sur le chemin d'Avignon, on parle de Gérard. Gérard saute sur le toit des carrosses, sur le toit des monastères et sur les charrettes de foin. Gérard saute sur les tables des auberges et sur les chevaux disposés sous les fenêtres. Gérard saute. Gérard porte des bottes moulantes au mollet qui commencent à plisser juste au-dessous du genou. Il porte aussi une chemise à jabot avec des poignets à froufrou à la blancheur éclatante renforcée par l'effet du noir et blanc. Gérard se dépense beaucoup. Premier à sauter, premier à galoper, premier arrivé, premier à mettre le nez dans les décolletés comme s'il humait des brioches. Gérard est jeune premier.

Il joue dans les films de câpres et d'épais. Gérard s'appelle Philipe. Ni Philipe Gérard, ni Gérard René, Gérard Raymond ou Gérard Robert mais Gérard Philipe. C'est pour ça qu'il aime bien adopter d'autres noms : Fanfan la Tulipe, Rodrigue, Till l'Espiègle ou Ruy Blas. Chaque été Gérard va à Avignon faire un festival. Ça fait paraît-il grand bruit. À l'arrière de l'ID on se dit que c'est bien normal. S'il continue sur scène à sauter comme ça, comme il saute sur les tables des auberges, avec les bottes, les talons, le sabre et tout le toutim, forcément ça doit faire beaucoup de bruit. Et justement à cause de tout le bruit de Gérard et du pont qui paraît-il n'est pas qu'une chanson, on fait un stop à Avignon. Un pont qui ne traverse le fleuve qu'à moitié comme si ayant mis les pieds dans l'eau et ne la trouvant pas à son goût, il avait rebroussé chemin. Un peu à la façon du pneu Michemin qui ne fait que la moitié du chemin.

L'ID stationne devant le palais des Papes. Adieu lent et lourd carrosse du nonce apostolique, portant le fer de l'Inquisition dans les contrées paisibles. Adieu charrettes de victuailles et carrioles grinçantes franchissant la herse et le poste de garde. L'ID est là, face à la muraille. Sa ligne épouse le mouvement du pinceau dessinant le dos nu du modèle dans l'atelier du peintre, alors que l'austère muraille emprisonne secrets et sévices inavouables, comme un décor des *Rois maudits*. L'ID est toute de légèreté, d'esthétique et d'éthique. Le lien pneumatique de sa suspension suggère une lente inspiration face au poids de l'histoire. L'épure aérodynamique oblige au coup d'éponge sur l'enchevêtrement des compromissions papales. Le confort de la banquette velours crème est le contrepoint libératoire à la chaise servant au supplice du même nom.

Clément V, Jean XXII, Benoît XII, Clément VI, Innocent VII, Urbain V, Grégoire XI, Clément VII et Benoît XIII. Neuf papes en Avignon. Et huit sous-papes avec l'ID.

Avignon disparaît dans le rétroviseur et l'ID vers le sud. Le pont reste dans sa chanson. Plus loin, une tante exotique, souriante et généreuse, prépare un gratin de macaronis qui complétera les restes de la veille de peur de manquer. Après un dîner démultiplié où tout le garde-manger défile sur la table, on va se glisser sous des édredons aux allures de gros gâteaux moelleux, de macarons géants pour dormir avec gourmandise. Le lendemain, le petit déjeuner n'échappe pas à la profusion du dîner. Le pain grillé, les croissants, la pogne et la couve, laissent sur la nappe des centaines de miettes comme autant de souvenirs douillets à éparpiller dans les kilomètres à venir.

À force d'être assis dans une automobile, on cherche du regard des points de fixité qui sont autant de cheminements, de soliloques des yeux. Le petit nuage blanc dans le ciel du matin devient une colombe qui va se poser sur le grand cèdre. La granulation de l'asphalte suggère celle de la petite lime rouge. Les collines arides et la luminosité du calcaire emmènent jusqu'à l'escalier de pierre de la serre et du même calcaire, jusqu'à la nouvelle cousine.

Elle se tient là, de dos, debout dans l'escalier, à l'arrêt. Elle regarde vers le bassin aux poissons rouges. Et là, l'arrière de ses genoux, juste à découvert, juste en dessous de la jupe, à l'alizé de l'ourlet, s'offre au regard et livre une sensualité d'une douceur infinie, une caresse de plume à même l'adrénaline.

L'arrière du genou est ainsi, un endroit en repli, à l'abri, où la peau garde le moelleux et la douceur d'antan, celle du nourrisson. L'arrière du genou est une partie charnue. Dès qu'on l'attrape entre le pouce et l'index et qu'on la pince un peu, le bébé s'en réjouit. Il rigole, ça l'amuse. Il sent bien qu'il y a là, derrière le genou, un endroit à part pour la peau. Elle y est généreuse et joviale. Elle constitue là des réserves pour, le jour venu, préserver la pliure, cultiver l'arrondi. Elle a là son petit laboratoire de jouvence, son bac à sable bien caché. L'arrière du genou est un délicieux zakouski où la nouvelle cousine excelle.

Disparue. Elle n'est plus là dans l'escalier. Adieu songe fugace. Les émotions s'apaisent. Le soleil vient de se hisser au-dessus du Ventoux. L'ID avale goulûment les lignes de fuites de la nationale 7.

Plus loin au sud, le grand pont de fer, comme un morceau de tour Eiffel tombé à terre, enjambe la rivière sinueuse, perdue dans son lit caillouteux bien trop grand pour elle. C'est là, un peu plus bas, que venue des Alpes puis du pays de Giono, elle rejoint le Rhône lourd et majestueux. C'est là, à cette intersection aquatique, avec confluence et affluence certains jours, que le Soulages né du clair de lune sur la Durance se dissout dans le Rhône. Peut-être que bien plus loin, bien plus tard, en Méditerranée, il réapparaît certaines nuits tel le vaisseau fantôme encalminé dans les noires brillances de l'eau sous la lune.

Il attend devant la gare avec son gros sac à lanières et belles boucles. Notre arrivée le tire de sa rêverie de voyageur encore occupé à visiter tous les coins et recoins de son corps que la couchette des wagons-lits a si durement pétri pendant la nuit. Sa barbe fournie, à l'aplomb de ses souliers, amplifie son allure un peu raide à laquelle la couchette, toujours la même, a longuement participé du côté des reins et du viaduc de Garabit.

En voyant l'ID il a un joli sourire d'enfant qui a droit à un deuxième tour de manège. On se serre à l'arrière pour qu'il monte devant. Il prend son temps avant d'ouvrir la portière, parcourt des yeux les courbes de l'ID qui l'emmène déjà bien loin des trains de nuit grinçants et des débats bruyants sur la loi des trois ans. C'est comme si cette automobile le prenait par la main, lui l'agrégé de philosophie, fondateur de *L'Humanité*, vers des ailleurs réconciliateurs et des chemins apaisés. Un léger bruissement accompagne la redingote quand il monte et s'assied. Il esquisse à nouveau un sourire. Jaurès ce matin-là va traverser le Tarn en ID.

On démarre, adieu la gare. On décide de faire un petit détour par la maison natale

de Toulouse-Lautrec. Elle est nichée pas
loin, tout engoncée à un angle de rue de
la vieille ville. On voulait passer devant,
absolument et forcément, mais on sentait
bien que Toulouse-Lautrec, Jaurès ce
n'était pas sa tasse de thé. Question de
génération. Toulouse-Lautrec, encore un
nom de course cycliste ou de gâteau riche
en crème. Toulouse-Lautrec, une boucle
de 151,243 km par Saint-Paul-Cap-de-Joux,
Lavaur et Verfeil. Toulouse-Lautrec, un
gâteau avec frangipane, nougatine et
raisins secs, à côté duquel la croustade de
Lafontasse fait figure d'amuse-gueule de
contrition.

On sort de la ville et on prend la route
d'en haut, par le plateau, par Saint-Genest,
pour mieux y voir le département. Il y a
tant à regarder, du dehors et du dedans,
du paysage et du tableau de bord. Ces
boutons, ces réglettes, ces cadrans passion-
nants, ce volant attaché d'un seul côté, petit
hommage au tournant de la dissymétrie. Et
dès qu'on lève le nez, voilà les collines
dodues de retour, le pays jamais plat, la
terre couleur de chapeau de cèpes, le pays

où les peupliers se promènent autour des courbes de niveau dessinant des rubans de bolduc vert tendre pour le faire plus beau, le pays de cocagne. Quand Jaurès se penche vers le tableau de bord, sa barbe effleure le clapet de la boîte à gants. Il suffirait d'ouvrir et de refermer aussi sec, clac, pour piéger un peu de barbe. À l'arrière ça nous amuse, Jaurès retenu par la barbe !

Le nouveau passager a le regard amusé de celui qui pourrait vous conter une anecdote inspirée par chaque croisement de chemin vicinal. Serrer des mains lourdes, soupeser le millas et les canards gras, parler maïs, avril pluvieux, grignoter une tranche de bougnette dans les fermes reculées, faire causette avec ceux dont les visages souriants restent à l'ombre des chapeaux de paille aux bords effilochés. C'est tellement chouette !

Soudain on s'arrête. Il descend, fait le tour de l'ID, se penche, se redresse, évalue on ne sait quoi, ouvre le coffre et le referme, s'en retourne vers l'avant. Un vrai tour du propriétaire, comme une démangeaison d'automobiliste tout droit sorti du garage avec la voiture neuve et qui s'arrête, en rase campagne, pour la savourer du regard avant de la présenter officiellement à la famille. Il repasse sur le côté, tapote du pied sur les pneus, en spécialiste de la chose automobile. On l'imagine remontant la rue Montmartre, le matin, jusqu'à *L'Humanité*, et tapotant du pied sur les pneus tout maigres d'une automobile de l'époque ou d'un taxi en attente qui n'était pas encore de la Marne.

Puis Jaurès se tourne vers le sud. Il hume l'air, respire profondément. Il sent que le vent d'autan se lève, là, juste en face, comme si l'air enfermé dans le pneumatique, en réaction au tapotement du pied, avait transmis son agitation au grand air de l'extérieur. Il ferme les yeux, hume l'air à nouveau, et là, sur la départementale D542, en plein canton de Ountès, il se décide. Il ouvre avec autorité la portière de l'ID, côté conducteur, et s'installe au volant. On démarre.

Consciente d'un tel honneur, l'ID se fait encore plus docile. Elle absorbe les à-coups

avec élégance et en tire une sorte de ponctuation au service de l'écriture kilométrique très en verve du conducteur Jaurès.
Il se tient droit, un peu loin du dossier, le
dos plat, les coudes orientés vers le bas, les
avant-bras presque à la verticale, la barbe
flirtant avec le volant et le regard scrutant
l'asphalte autant que l'horizon. À l'observer ainsi, pour son premier volant, avec
son air d'élève appliqué, un peu trop raide
sur la banquette, on l'imagine à dix ou
onze ans sur le banc de la communale de
la rue Sainte-Foy, le tableau noir rem-
plaçant le pare-brise et les lignes de craie
les lignes de crête alentour.

Le changement de vitesse chuinte à son
habitude. Le compteur affiche 70 et le vent
d'autan presque autant. À la gendarmerie
de Réalmont, plus loin en contrebas, c'est
l'heure du confit. L'Estafette bleue est à
sa place sur le parking trop grand. Le
fricandeau a quitté la toile cirée avec le
dernier radis-beurre. À l'écart, tête-bêche,
sur le buffet en bois sculpté avec charrette
de foin et basse-cour, les képis attendent

sagement leur terre d'accueil, cette peau lisse et luisante des hauts de crânes tonsurés par la transpiration, sur laquelle ils se poseront, dès la prochaine virée qui les conduira sur les points névralgiques du canton : entrées de village bien trop subtiles, belles lignes droites à l'excès, rondpoint de suspension. Comment imaginer, au moment où le plat de lentilles, avec les petits oignons de printemps et l'ail rose de Lautrec, fait son entrée sur la toile cirée de la maréchaussée, que là-haut, sur le plateau, Jaurès est au volant, sans permis, pour le plaisir de l'ID ?

De toute façon il n'a pas la tête de celui à qui on demande ses papiers en rase campagne.

*Jaurès, Jean Auguste Marie Joseph Léon, né à Castres le 3 septembre 1859, un dimanche, agrégé de philosophie, fondateur de* L'Humanité *et de la Verrerie Ouvrière, député du Tarn, en virée dans le secteur, au volant d'une ID de passage, de couleur crème, immatriculée dans ledit département et roulant à l'heure actuelle à 70 km/h.*

Depuis la banquette arrière, on constate que le nouveau conducteur raffermit sa conduite. Son dos s'est rapproché du dossier, son coude gauche effleure parfois l'accoudoir niché dans la portière, le regard est moins collé à l'asphalte et surtout la barbe a l'air mieux. Depuis le début, la barbe de Jaurès est un sujet réjouissant. On l'observe comme si elle concentrait toutes les hésitations, les à-coups et soubresauts selon qu'elle s'avance vers le volant ou recule, comme si elle cherchait à indiquer un centre de gravité imaginaire conciliant les contraintes mécaniques de la conduite et le vagabondage des pensées du grand homme sur sa terre natale.

Soudain il s'est mis à compter les pigeonniers, comme font les enfants, pour s'occuper. On s'est mis à compter avec lui, les beaux pigeonniers à pilotis de pierre ou de brique, les quatre pieds solidement enfoncés dans la terre de Cocagne dont ils sont les élégants échassiers architecturaux.

La D71 vient de succéder à la D542. En quelques kilomètres de trajectoires jaurèssiennes, l'ID vient de découvrir ce que peuvent ressentir les consœurs du parc automobile présidentiel : l'effet du grand homme, une fierté feutrée, un je ne sais quoi dans le châssis, une ondulation fine dans la carrosserie, le pare-brise soudain un peu plus bombé. Et cet homme-là ne se contente pas de s'asseoir sur la banquette arrière. Il conduit. Il pousse même à fond la troisième. Il rêve peut-être de freinages intensifs, d'épingles à cheveux, de doubles débrayages. Qui aurait dit que celui qui fut reçu troisième à l'agrégation de philosophie vivrait une telle intimité avec une ID aussi mécaniquement contrainte ?

Quelques kilomètres plus loin, Jaurès ralentit et tourne brusquement à droite, sans prévenir, sur un chemin poussiéreux bordé de platanes majestueux qui ont sûrement mille choses à raconter.

À la fin du chemin, on s'arrête devant une grosse ferme. En entendant la voiture arriver, les gens sortent. Jaurès coupe le moteur et sort lui aussi. Salutations, poignées de main, conversation. De l'intérieur de l'ID on ne sait rien de ce qui se dit, mais au vu des regards, des gestes et des mouvements de tête ça a tout l'air d'être une affaire sérieuse. Jaurès disparaît dans la ferme. On attend. Que va-t-il faire là-dedans ? Qui sont ces gens qu'il connaît bien ? On attend Jaurès qui se fait attendre. Soudain il ressort. Il tient un panier d'osier contenant quelque chose de volumineux enveloppé dans un linge blanc. Il remonte dans l'ID, ferme la portière, pose le panier sur ses genoux et en dévoile le contenu avec un air entendu. Des boudins blancs, ceux de chez nous, faits de couenne qui cuit pendant des heures et des heures jusqu'à devenir complètement molle, onctueuse et collante, une consistance sublime. On les fait cuire au four, à four pas trop chaud. La peau commence à suer, se crisper puis éclate en laissant des petits bords caramélisés. On mange ça avec une bonne purée ou une salade.

Là, à midi presque sonnant, sur la D71 entre Saint-Genest-de-Contest et Graissac, au lieu-dit Vignounie, Jaurès, installé au volant de l'ID, distribue les boudins blancs. C'est son remerciement. Puis il tâte le volant un peu comme un matériau qu'il chercherait à assouplir. Il a un regard gourmand pour le tableau de bord, appuie trois ou quatre fois sur l'embrayage avec une belle amplitude, un mouvement lent et souple, nettement plus affirmé, comme s'il cherchait ainsi à remercier l'ID pour la balade et qu'en retour, par un geste presque sensuel de son embrayage, elle le complimentait sur sa conduite. Certes cette conduite fut par moments allègrement hachée, mais l'ID n'est pas à un hoquet-tement près, surtout en regard du bonheur si passager et intense de promener le grand homme.

Jaurès sur la D542, Jaurès sur la D71, Jaurès à fond de troisième, Jaurès ouvrant le coffre, Jaurès calant le panier aux boudins blancs. Ah, les bonheurs du bipède ! Et quelle conversation à la pro-chaine révision au garage Mascarenc et Raïssac, concessionnaire agréé parce qu'il hisse haut les couleurs de l'ID.

Quand elle sera là-haut sur le pont, c'est tout un parterre d'admiratrices qui va s'agglutiner à ses pieds. Ça va changer du train-train minéralogique habituel. Le 81 12 82, le 31 11 34 et le 66, 09, 65 n'ont qu'à bien se tenir. Adieu les comptes rendus détaillés sur les ronds-points fleuris, les travaux avec feux alternés ou les dys-fonctionnements d'un passage à niveau vieillissant. On va causer Internationale ouvrière, souvenirs de Normale sup, fabri-cants de canons et de chair à canons, grève générale et bien sûr boudin.

Jaurès a quitté le siège du conducteur, refermé la portière. Il fait le tour par l'avant, arrive du côté passager, passe la tête par la vitre ouverte. Sa barbe bascule à l'horizontale avec un bruit de brosse à habit. Sourires à l'arrière.

On rassemble les boudins joyeusement dispersés comme des trophées gagnés au stand de tir de la foire. Jaurès remet les cha-pelets de boudins sous le linge, ouvre le coffre et cale le panier aussi bien que celui contenant le rosbif et le canard en partance pour Colombey.

On reste sur les petites routes. Le vent d'autan s'en donne à cœur joie comme si le bel aérodynamisme de l'ID taquinait son ego de vent intrépide. Jaurès s'est assoupi. Un petit somme pour compenser les effets d'une nuit entrecoupée de longs arrêts dans des contrées perdues et d'une couchette hostile à l'endroit des reins. Sa tête bascule lentement vers l'avant, la barbe vient se planter sur les petits boutons et boutonnières du gilet à rayures anthracite et noires, au risque d'y laisser quelques plumes. Puis sa tête se redresse dans un mouvement du cou dont le dormeur et le dossier sont les seuls à connaître les secrets de l'impulsion. La radio l'a tiré de sa somnolence. Un cortège de résultats et de poules. Pourquoi des poules dans le rugby ? À cause de la forme du ballon qui se verrait bien posé sur un coquetier ?

C'est lundi, un lundi d'avril venté, sur une départementale, comme un jour de fugue à asperges. On emmène Jaurès, tout juste descendu du train de Paris. Il va se poser quelques jours, respirer, marcher dans les collines du côté d'Avits et de

Campans, humer l'air de ce début de printemps, croquer peut-être les premières cerises d'Olargues, chercher quelques morilles, et reprendre du poil de la bête pour repartir en campagne.

Il dit « les législatives ». Il parle de « découpage électoral ». À l'arrière on l'imagine avec le grand tablier du boucher de l'Albinque, couvert de taches de sang, tenant fermement le hachoir, juste au moment où il tranche le cou du poulet ou donne une grande claque à l'escalope de veau, comme un grand coup de pouce à l'attendrissement et l'extension de la maigre surface de viande. Il parle aussi de « circonscription », une sorte d'escalope mais en beaucoup plus grande où l'on peut recueillir des voix. Quand il dit « circonscription », quelque chose se met sur sa voix, sur ses voix ? Une tonalité étouffée, comme si elle restait coincée sous une pile de linge.

On arrive devant chez lui, devant « sa campagne ». À la gendarmerie de Réalmont

le reste du plat de lentilles est au garde-
manger depuis longtemps. Jaurès descend
de l'ID, on descend aussi. On se serre la
main, des poignées de main qui valent des
embrassades, appuyées, affectueuses.

Il refait le tour de l'ID une dernière fois
et imprime longuement au fond de sa
rétine tout ce qu'il peut emmagasiner de
cette automobile. Il pousse le portail, nous
fait un petit signe de la main sans se
retourner et disparaît derrière les feuil-
lages.

Quelques jours plus tard, il est remonté
à Paris en train de nuit par Capdenac. Un
matin il a remonté la rue Montmartre,
comme tous les matins, en tapotant peut-
être du pied sur les pneus si maigres d'un
taxi qui n'était pas encore de la Marne. Il
a remonté la rue Montmartre jusqu'à son
dernier café-croissant au café du même
nom.

Nous, on prend la direction de la ville,
on se glisse dans la grande avenue, on passe
la poste, le monument aux morts, le jardin

public, le pont, le grand immeuble anguleux et neuf et on arrive sur la place. On se gare devant le 27, sous le platane qui fait la bonne ombre l'après-midi. On sort les bagages qui iront rejoindre les penderies sombres. On vient de faire un sacré périple. Sous prétexte de mariage et d'ID. Un sacré périple !

C'est le bruit des vis.

Les vis qui s'enfoncent dans le bois du cercueil. Bruit familier du bricolage, bruit des vis qui couinent et peinent à rentrer dans le bois.

Même là, sur le couvercle du cercueil, la vie bricole, la vie a tous les droits. Droit de visser, droit de conclure, droit de refermer. Il avait le crâne bandé, histoire de ne pas voir qu'il était tout enfoncé. Il était rentré dans un camion ou plutôt sous un camion. Encastré dessous. C'est peut-être mieux que de finir en gérontologie. Le bruit des vis qui s'enfoncent rappelle le bruit d'une dent qu'on arrache, juste avant qu'elle ne cède au geste du dentiste, un couinement caverneux, un gémissement de l'os.

Je lui ai parlé longtemps. Une conversation bien qu'un monologue. Ultimes paroles de l'un à l'autre avant que le couvercle se referme.

Le cercueil était sur des tréteaux, comme tous les cercueils. Tréteaux, très tard, on perd la notion du temps. Il y avait beaucoup de place autour, une grande pièce d'une grande maison, belle l'été, froide l'hiver, avec des escaliers de pierre qui ont le parfum du sancerre, crayeux et minéral. Une grande pièce à moulures avec tout ce qu'il faut d'accroché aux murs pour dire qu'on a des souvenirs, des racines, des greniers où se perdre. Il y a des trophées de concours hippiques, épiques. La vie fait des sauts d'obstacle, avec des surprises de dernière minute, quand sonne la cloche du dernier tour. La vie est cavalière.

Ils ont posé le couvercle, sans pompe mais funèbre. J'ai regardé son visage, longtemps, posé le dernier mot, celui qui dit l'amour, tant d'amour, l'amour muet,

145

gardé faute de bras qui enlacent, de trajets vers l'école, de dimanches en vadrouille, de promenades à vélo, et sur son front posé, ou plutôt sur l'épais pansement, posé le dernier bisou, comme disent les enfants. Dernière conversation, accident de la route.

Il est parti en terre ou plutôt en pierre, dans le caveau familial. Il y avait un centimètre de trop à l'endroit où le cercueil s'élargit pour les épaules. Ça ne passait pas. Difficulté à rentrer en pierre. Ce fut fait à la petite scie égoïne. Drôle de nom.

Le bruit de la scie occupe tout l'espace silencieux alentour. Il est juste ponctué de quelques crissements du gravier sous les pieds. Bruits doux et humains. Le bois devient vivant, là, sous le premier soleil de printemps, sous les cyprès du petit cimetière. On bricole et ce n'est plus funèbre. Des petits coups de scie à l'angle du cercueil. Le rayon bricolage s'invite sur cette colline exposée au sud où l'on peut faire la meilleure opération immobilière de sa vie.

Le prix du mètre carré est dormant depuis longtemps et il en faut très peu.

Finalement le cercueil est rentré. Il n'avait pas le choix de la destination. L'ID s'arrête là. Accident de voiture. Quelle drôle d'ID !

# Remerciements

À Augustin et Pierre, mes enfants, à Hélène si douce et de si bon conseil, à Isabelle, à Annie, Christine et Jérôme, à Albane, Rose Marie, Jacqueline, Claude, Alain, Arnaud, Bernard, Jean-Marc, Josh, Laurence et Pascale de la Belle Lurette et bien sûr Serge qui m'ont encouragé de leur lecture.

*Cet ouvrage a été composé et mis en pages*
*par ÉTIANNE COMPOSITION*
*à Montrouge.*

Cet ouvrage a été imprimé en France par

BUSSIÈRE

à Saint-Amand-Montrond (Cher)
en novembre 2012

N° d'édition : 52830/01. – N° d'impression : 123643/1.
Dépôt légal : décembre 2012.